Good Night

# 晚安，故事

果麦 编

浙江出版联合集团
浙江文艺出版社

很久很久以前，

我也不知道到底多久以前……

# 目录 CONTENTS

# 目录 CONTENTS

# 小蝌蚪找妈妈

方慧珍 盛璐德 著

　　池塘里有一群小蝌蚪，大大的脑袋，黑灰色的身子，甩着长长的尾巴，快活地游来游去。

　　小蝌蚪游哇游，过了几天，长出两条后腿。他们看见鲤鱼妈妈在教小鲤鱼捕食，就迎上去，问："鲤鱼阿姨，我们的妈妈在哪里？"鲤鱼妈妈说："你们的妈妈有四条腿，宽嘴巴。你们到那边去找吧！"

　　小蝌蚪游哇游，过了几天，长出两条前腿。他们看见一只乌龟摆动着四条腿在水里游，连忙追上去，叫着："妈妈，妈妈！"乌龟笑着说："我不是你们的妈妈。你们的妈妈头顶上有两只大眼睛，披着绿衣裳。你们到那边去找吧！"

　　小蝌蚪游哇游，过了几天，尾巴变短了。他们游到荷花旁边，看见荷叶上蹲着一只大青蛙，披着碧绿的衣裳，露着雪白的肚皮，鼓着一对大眼睛。

　　小蝌蚪游过去，叫着："妈妈，妈妈！"青蛙妈妈低头一看，笑着说："好孩子，你们已经长成青蛙了，快跳上来吧！"他们后腿一蹬，向前一跳，蹦到了荷叶上。

　　不知什么时候，小青蛙的尾巴已经不见了。他们跟着妈妈，天天去捉害虫。

# 咕咚来了

佚名 著

　　在宁静的小湖边呀，有一棵大大的木瓜树，树上结满了金黄金黄的木瓜。这天中午，一只小白兔正靠在大树旁睡觉，呼噜呼噜，睡得可香了。这个时候一阵微风吹了过来，一只熟透了的木瓜被吹得摇来摇去，然后"咕咚"一声掉进小湖里了。这奇怪的声音把小白兔给惊醒了。她竖起两只大耳朵，睁大了眼睛，向四周仔细瞧了瞧，可是什么也没发现。小白兔害怕得撒腿就向森林里跑去，嘴里还不停地喊着："不好了，不好了，咕咚来了，咕咚来了！"狐狸见小白兔慌慌张张的，就问她发生了什么事。小白兔跑得上气不接下气，气喘吁吁地说："不好了，咕咚来了！"狐狸不知道咕咚是什么，还以为是很厉害的妖怪，吓得也跟着小白兔跑了起来。小猴看到他们俩拼命地跑，嘴里还不停地喊着"咕咚来了"，也害怕起来，就跟着小兔和狐狸一起跑。他们三个一边跑一边喊："不好了，咕咚来了，咕咚来了！"狗熊看到他们慌张的样子，还以为出了什么大事呢，也加入了逃跑的队伍。接着森林里的斑马啦，大象啦，梅花鹿啦，全都被小白兔他们吓坏了，都以为"咕咚"是一个大怪物，也气喘吁吁地跟着大家一起跑。

　　这支队伍越来越大，奔跑的声音也越来越响，终于把正在睡午觉的森林之王狮子给惊醒了。狮子非常生气，便大吼一声，拦住这群狼狈的小动物，怒气冲冲地问道："你们跑什么跑，吵得我连午觉都睡不成了，到底发生了什么事，快说！"大家你问我，我问你，都说不清是怎么回事。最后问到了小白兔，她发着抖说："咕咚来了，它可吓人了。"可狮子从来没有听说过咕咚这个东西，就问小白兔："咕咚是什么东西？你给我带路，去找这个咕咚。我倒要看看，什么东西这么可怕。"于是，在小白兔的带领下，他们往回走去，来到那棵木瓜树下，只见树底下的湖水又清又绿，几只金黄的木瓜正静静地浮在水面上呢！

　　大家找呀找呀，什么怪物也没看见，正感到纳闷呢，忽然又吹过一阵凉爽的微风，一只熟透的木瓜"咕咚"一声掉进湖里，接着又有几只木瓜先后掉进湖水里，发出"咕咚、咕咚"的声音。原来，这就是可怕的咕咚啊！大家一下子全明白了，再想想刚才狼狈逃跑的样子，都哈哈大笑起来！

# 捞月亮

廖佳义 著

有只小猴子在井边玩。他往井里一看，里面有一个月亮。小猴子叫起来："糟啦，糟啦！月亮掉进井里啦！"大猴子听见了，跑过来一看，也跟着叫起来："糟啦，糟啦！月亮掉进井里啦！"老猴子听见了，跑过来一看，也跟着叫起来："糟啦，糟啦！月亮掉进井里啦！"

附近的猴子听见了，都跑过来看，大家跟着叫起来："糟啦，糟啦！月亮掉进井里啦！咱们快把它捞上来！"

猴子们爬上了井旁边的大树。老猴子倒挂在树上，拉住大猴子的脚。大猴子也倒挂着，拉住另一只猴子的脚。猴子们就这样一只接一只，一直挂到井里头，小猴子挂在最下边。小猴子伸手去捞月亮，手刚碰到水面，月亮就不见了。

老猴子一抬头，看见月亮还在天上，他喘着气，说："不用捞啦，不用捞啦！月亮好好地挂在天上呢！"

# 城里的老鼠和乡下的老鼠

[古希腊] 伊索 著　马嘉恺 译

　　城里老鼠前去拜访乡下老鼠。地点是对方的屋子，用来招待他的是橡果子。城里老鼠在乡下办完事后，邀请乡下老鼠也去他家做客。盛情难却，乡下老鼠只好答应。这么着，城里老鼠带着乡下老鼠，去了他所居住的屋子，那里有着丰盛的美食。他们拿起各式各样的美食，高高兴兴地大吃大喝起来。

这当儿，管家开门进来了。城里老鼠闻声便逃，躲进了最近的老鼠洞里。乡下老鼠对此毫无防备，他惊恐地在地板上乱窜，吓得魂不附体。好在管家取了他想要的东西，然后就关上门离开了。

城里老鼠叫乡下老鼠再坐回来吃东西。乡下老鼠拒绝了，他说："你说我还能再坐下来吃东西吗？噢，我都吓成什么样了！你觉得那人还会再回来吗？"对于一只吓得半死的老鼠而言，他现在也只能吐出这么些话了。城里老鼠劝慰道："我亲爱的同伴，这么多的美食，你可是上哪儿都找不到的啊。"

"对我来说，只要能活得无忧无虑，"乡下老鼠依旧拒绝，"那么有橡果子就够了。"

# 满载着鲜花的火车

[日本] 大石真 著　崔维燕 译

　　山里的动物们，正眼巴巴地盼望满载着鲜花的火车开来。

　　从温暖的南方到寒冷的北方，有一趟专门为动物开的列车。

　　这趟火车一年有四次开到山里来：春天一次，夏天一次，秋天一次，冬天一次。在辽阔的原野上，它从南到北，从北到南，开来开去。春天的时候，火车装着满满一车鲜花，冒着紫色的烟，从南方开过来。夏天的时候，火车里装着凉爽的风、大朵大朵的白云开过来。秋天的时候，火车装载着美丽的红叶。冬天呢，车里满是冰凉的白雪，火车的方向也变了——是从北往南开的。

　　现在呢，动物们正等待着春天的火车。这列火车里，满是刚刚绽开的花朵。它还没有开来。要是它来了，狸子站长会通知大家的。

　　"真慢哪，怎么还不来？"动物们等得不耐烦了。他们冒着严寒，一齐跑到山下的火车站来看。他们看见，狸子站长站在月台上，正从大衣兜里掏出一块大怀表，使劲儿地看呐！

　　"哎呀，站长先生，火车还没来吗？"狗熊挺泄气地问。

"要是照往年那样，火车早该到了吧！"猴子有些恼火地说。

"也许是火车半路上出事了……"兔子担心地说。

可是狸子站长扶一扶制帽，不慌不忙地向大家笑着说："啊啊，各位先生，请不要着急。嗯——用不了多久，火车就开来啦！"

野猪问："'用不了多久'，到底是多久啊？"

狸子站长把手里的大怀表举起来，让大家伙儿看："就是表上的指针，正好指着'春'的时候嘛！"大家一齐伸长了脖子看。这块表上写着"春"、"夏"、"秋"、"冬"四个大字。有一根红指针，正慢慢地向"春"字上移动。

"哎呀，快到点啦！"

"春天的火车，马上就要进站啦！"

正在这时候，站长室里的电话"滴铃铃、滴铃铃"地响起来。

狸子站长慌慌张张地跑进去："是的，我是！喂喂，好的，好的，好的！谢谢！"

狸子站长放下电话，走出来，笑眯眯地看看大伙儿的脸，接着说："他们通知我：春天的火车已经从前边的一站开出，马上就要到了！"

真的。不大一会儿，草原的那一边就出现一小朵紫色的烟。在这同时，大家的鼻子都闻到一股好闻的、花儿的香气。春天的火车，真的开过来啦！山上的动物们一下子快活得喊叫起来，他们又蹦又跳，迎接那列满载着鲜花的火车。

# 九色鹿

田海燕 著

恒河旁边，住着一头鹿，它的毛有九种颜色，它的角像雪一样白。

九色鹿每天到河边吃草喝水。这儿有它的一个好朋友，那是一只乌鸦。

有一天，河里漂来一个人，一会儿沉下去，一会儿浮上来。他哇哇大叫："老天，救救我呀！"

九色鹿听到了，赶快跑到河边，不顾危险，跳进河里去，对那个人说："快，快！骑到我的背上来，双手抓住我的角。"就这样，九色鹿把那个人救上岸来了。

那个人绕着九色鹿走了三圈儿，跪在地上磕了个头，说："恩人哪，您救了我的命。让我留在这儿，每天给您割草打水吧。"

九色鹿摇摇头说："我救你，不是为了叫你谢我，也不是为了叫你给我做事。你回去吧，只要你不告诉别人我住在这儿，就行了。"

那个人说："一定，一定，我无论如何也不会告诉别人。"说完，就回去了。

有一天夜里，这个国家的王后做了个梦，梦见一头鹿。它的毛有九种颜色，它的角像雪一样白。她醒来后对国王说："我要九色鹿，拿它的皮做坐垫。您快给我找来，要不，我就要死了。"

国王告诉全国的老百姓：谁能找到九色鹿，就分给他半个国家，赏他金钵盛满的银粟、银钵盛满的金粟。

可是谁也没见过九色鹿，谁也不知道九色鹿在哪儿。只有一个人，就是九色鹿救的那个人知道。他想：这下可好，我可以有金钵盛满的银粟、银钵盛满的金粟，还能分到半个国家呢！他跑到王宫里去，向国王报告："我知道九色鹿在哪里。您带上兵马，跟着我去捉吧！"

国王听了很高兴，立刻坐上车子，带了兵马，跟着那个人，一直朝恒河边跑去。

这天，九色鹿正伏在地上打瞌睡。它的好朋友，就是那只乌鸦，站在树枝上，看见远远地奔来一队兵马，就急忙飞到九色鹿的头上，用嘴啄了啄它的耳朵，对它说："快跑，快跑！一队兵马来了，怕是来捉你的呢！"

九色鹿站起来，撒开腿就跑，可是已经来不及了，它已经被国王的兵马团团围住了。

国王的士兵拉满了弓，要射九色鹿。九色鹿说："你们别射我，我自己去见国王，我还有话对他说呢！"

九色鹿跑到国王跟前，对国王说："国王，是谁告诉您我在这儿的呢？"

国王指着那个人说："就是他！"

九色鹿流着眼泪说："原来是他，原来是他！我不顾危险，把他从恒河里救了上来。他答应我不告诉别人我住这儿……"

国王听了九色鹿说的话，非常非常生气，就质问那个人："九色鹿救了你，你为什么反而要害它呢？"

那个人说不出话来。国王叫他的士兵让开一条路，把九色鹿放了，并且下了道命令：以后，谁也不许来捉九色鹿。

那个人呢？他没有拿到金钵盛满的银粟和银钵盛满的金粟，也没有分到半个国家。国王叫士兵把他绑起来，扔到恒河里去啦。

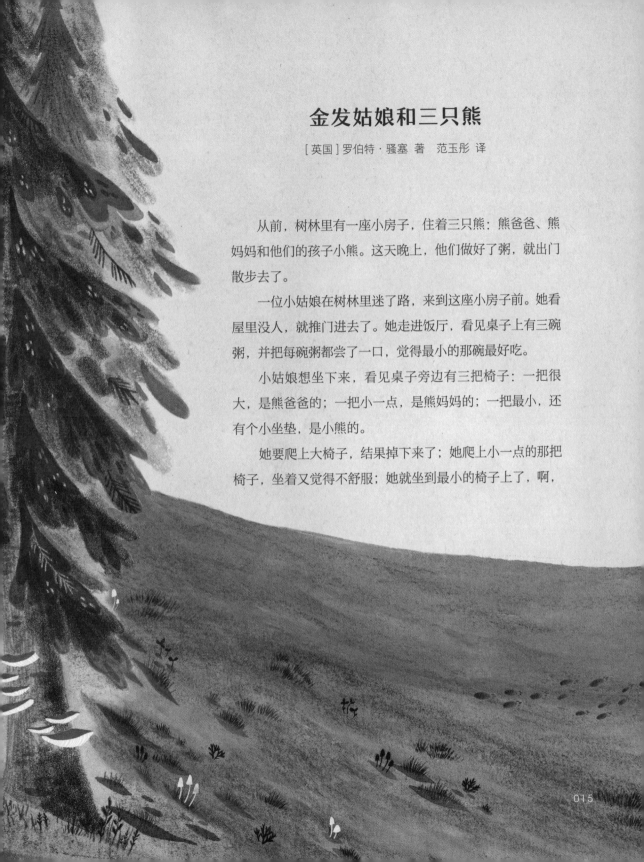

# 金发姑娘和三只熊

[英国]罗伯特·骚塞 著　范玉彤 译

　　从前，树林里有一座小房子，住着三只熊：熊爸爸、熊妈妈和他们的孩子小熊。这天晚上，他们做好了粥，就出门散步去了。

　　一位小姑娘在树林里迷了路，来到这座小房子前。她看屋里没人，就推门进去了。她走进饭厅，看见桌子上有三碗粥，并把每碗粥都尝了一口，觉得最小的那碗最好吃。

　　小姑娘想坐下来，看见桌子旁边有三把椅子：一把很大，是熊爸爸的；一把小一点，是熊妈妈的；一把最小，还有个小坐垫，是小熊的。

　　她要爬上大椅子，结果掉下来了；她爬上小一点的那把椅子，坐着又觉得不舒服；她就坐到最小的椅子上了，啊，真舒服！于是，她就坐在最小的椅子上，捧着蓝色的小碗，吃起粥来。

吃啊吃啊，她把粥吃了个精光，然后就在最小的椅子上，摇晃起来了。摇呀摇呀，哎呀，椅子被摇坏了。

小姑娘"啪"的一下，就摔到地上了。她爬起来，把最小的椅子扶起来，就到隔壁房间去了。

这个房间里有三张床：一张很大，是熊爸爸的；一张小一点，是熊妈妈的；还有一张最小，是小熊的。

小姑娘躺到大床上，哎呀，太空了；躺到小一点的床上，又太高了；她躺到最小的床上，嘿，正合适。她啊，就在这张床上，睡着了。

这时候，三只熊回来了，他们肚子都饿了，想吃饭。

熊爸爸拿起他那个碗一看，粗着喉咙咆哮起来："谁动过我的碗？"熊妈妈看看自己的碗，也大声叫起来："谁动过我的碗？"小熊看看自己那只空空的小碗，也尖

声尖气叫起来："谁动过我的碗，把粥全给吃光了？"

熊爸爸看看他那把椅子，哇哇地叫了起来："谁坐过我的椅子？"熊妈妈看看她那把椅子，也跟着大叫起来："谁坐过我的椅子？"小熊看看他那把破了的椅子，哭着鼻子叫起来："谁坐过我的椅子，还把椅子坐坏了？"

三只熊又来到隔壁的房间。

熊爸爸用可怕的声音哇哇地叫了起来："谁睡过我的床，把我的被子都弄皱了？"熊妈妈也跟着叫道："谁睡过我的床，把被子都弄皱了？"小熊在小床边放了一张小凳子，爬上了他那张小床，尖声尖气地叫了起来："谁睡过我的床？"

小熊突然看见了小姑娘，叫了起来："就是她！把她抓住！把她抓住，就是她！哎哟哟……把她抓住！把她抓住！"

小熊想上去咬小姑娘，小姑娘一睁开眼睛，看见了三只熊，连忙向窗子扑过去。窗子本来是开着的，她跳出窗外逃走了。三只熊啊，到底还是没能追上她。

# 青蛙和蟾蜍

［美国］安诺德·劳伯尔 著　楼飞甫 译

　　蟾蜍坐在他的沼泽前面。

　　来了一只青蛙，他问："什么事呀，蟾蜍？你看起来很伤心。"

　　"是的，"蟾蜍说，"这是一天中最使我伤心的时候。这时候，我在等邮件到来，但总是使我很不快乐。"

　　"为什么？"青蛙问。

　　"因为，我从来就没有收到过任何邮件。"

　　"从来没有？"青蛙问。

　　"从来没有。"蟾蜍说，"从来没有一个人给我寄过一封信。每天，我的信箱里总是空的。这就是我在等邮件的时候，会伤心的原因。"

　　青蛙和蟾蜍坐在沼泽前，双双感到很伤心。接着青蛙说："蟾蜍，现在我要回家办一件事。"青蛙迅速回到家里。他找出一支铅笔和一张纸，在纸上写了字。他把纸

装进信封，在信封上写道："一封给蟾蜍的信。"

青蛙跑出屋子，看到一只蜗牛。

"蜗牛，"青蛙说，"请把这封信给蟾蜍送去，放在他的信箱里。"

"没问题，"蜗牛说，"我立即送去。"

接着青蛙跑回蟾蜍的家。蟾蜍已经上床睡觉了。

"蟾蜍，"青蛙说，"我认为，你应该起来，再去等一会儿邮件。"

"不，"蟾蜍说，"我已经等得很厌倦了。"

青蛙看看蟾蜍挂在窗外的信箱，蜗牛还没有来。

"蟾蜍，"青蛙说，"你大概不知道，有人可能要给你寄信来了！"

"不，不，"蟾蜍说，"我不指望任何人给我寄信了。"

青蛙又看看窗外，蜗牛还是没有来。

"但是，蟾蜍，"青蛙说，"今天，可能有人给你寄信来。"

"别说傻话了，"蟾蜍说，"从前没人给我寄过信，今天也不会有人给我寄信。"

青蛙再看看窗外，蜗牛仍旧没有来。

"青蛙，你为什么老是往窗外看？"蟾蜍问。

"因为我在等邮件。"青蛙说。

"但是，你等不到任何邮件。"蟾蜍说。

"噢，等得到的，"青蛙说，"因为我给你寄来了一封信。"

"你寄来了一封信？"蟾蜍说，"你在信里写了点什么？"

青蛙说："我写道：'亲爱的蟾蜍，我很高兴，你是我最好的朋友。你最好的朋友青蛙。'"

"噢，"蟾蜍说，"那是一封极好的信。"

接着青蛙和蟾蜍来到沼泽前面等邮件。他们坐在那里，双双都感到很快活。青蛙和蟾蜍等了很长时间。四天以后，蜗牛才来到蟾蜍的家门口，给他一封青蛙寄来的信。蟾蜍高兴极了。

# 金海螺小屋

金波 著

  大海里有只小海豹，他想到陆地上去玩儿，就游出了大海，上了岸。他走啊走，走进一片森林，迷了路。他饿极了，再也走不动了。

  小海豹坐在树墩上呜呜哭起来。

  小鼹鼠听见了哭声，忙跑过来，问他："你哭什么呀？我愿意帮助你。"

  小海豹擦干了眼泪，不好意思地说："我迷路了，想妈妈也想爸爸。"

  小鼹鼠很神气地说："别哭，这好办。"说完，他就跑向大海边。小鼹鼠是想跳进大海里，去找小海豹的妈妈爸爸。他刚跳进大海，一个浪头就把他打回海岸上了。

  小鼹鼠抖掉满身的水，睁开眼睛一看，身边有一个金色的大海螺，他也是被海浪冲上岸的。

  小鼹鼠钻进海螺里，听见了一阵阵海浪声，还听见了海豹妈妈呼唤小海豹的声音。小鼹鼠拖着海螺来到小海豹跟前："你听听，你妈妈在叫你呢！"小海豹一听，真的是妈妈的声音。他赶快大声回答："妈妈，我在这里，快来接我呀！"

  这时候，海螺里又传来海豹妈妈的声音："等着我，我去接你回家。"

  不一会儿的工夫，海豹妈妈和海豹爸爸就来到了小海豹的身边。他们背着自己的孩子便向大海边走去。小海豹舍不得小鼹鼠，他多么希望他也能到大海里来玩儿呀！

  可是，小鼹鼠不能，他安慰小海豹说："你走以后，我就搬进大海螺里住，我就能常常听见你的声音了。我们还可以说话呀！"

  从此，小鼹鼠有了一个金海螺小屋。

# 快乐王子

[英国]奥斯卡·王尔德 著　巴金 译

　　快乐王子的像在一根高圆柱上面，高耸在城市的上空。他满身贴着薄薄的纯金叶子，一对蓝宝石做成他的眼睛，一只大的红宝石嵌在他的剑柄上，灿烂地发着红光。

　　某一个夜晚一只小燕子飞过城市的上空。他飞了一个整天。在晚上他到了这个城市。"我在什么地方过夜呢？"他说，"我希望城里已经给我预备了住处。"

　　随后他看见了立在高圆柱上面的那座像。他说："我就在这儿过夜吧，这倒是一个空气新鲜的好地点。"他便飞下来，恰好停在快乐王子的两只脚中间。

　　"我找到了一个金的睡房。"他向四周看了一下，轻轻地对自己说，他打算睡觉了，但是他刚刚把头放到他的翅子下面去，忽然大大的一滴水落到他的身上来。"多么奇怪的事！"他叫起来，"天上没有一片云，星星非常明亮，可是下起雨来了。北欧的天气真可怕。"接着又落下了一滴。

"要是一座像不能够遮雨，那么它又有什么用处？"他说，"我应该找一个好的烟囱去。"他决定飞走了。但是他还没有张开翅膀，第三滴水又落了下来，他仰起头去看，他看见——啊！他看见了什么呢？快乐王子的眼里装满了泪水，泪珠沿着他的黄金的脸颊流下来。他的脸在月光里显得这么美，叫小燕子的心里也充满了怜悯。

"你是谁？"他问道。

"我是快乐王子。"

"那么你为什么哭呢？"燕子又问，"你看，你把我一身都打湿了。"

"从前我活着，有一颗人心的时候，"王子慢慢地答道，"我并不知道眼泪是什么东西，因为我那时候住在无愁宫里，悲哀是不能够进去的。我就从没有想到去问人墙外是什么样的景象。我的臣子都称我做快乐王子。后来，他们就把我放在这儿。我看得见我这个城市的一切丑恶和穷苦，我的心虽然是铅做的，也忍不住哭泣。"

"远远的，"王子用一种低微的、音乐似的声音说下去，"远远的，在一条小街上有一所穷人住的房子。一扇窗开着，我看见窗内有一个妇人坐在桌子旁边。她的脸很瘦，又带病容。在这屋子的角落里，她的小孩生病了，躺在床上，嚷着要橙子吃。他的母亲没有别的东西给他，只有河水。燕子，小燕子，你肯把我剑柄上的红宝石取下来给她送去吗？"

"朋友们在埃及等我。"燕子说。

"燕子，燕子，小燕子，"王子要求说，"你难道不肯陪我过一夜，做一回我的信差么？那个孩子太渴了。"

快乐王子的面容那么忧愁，叫小燕子的心也软下来了。他便说："这儿冷得很，不过我愿意陪你过一夜，我很高兴做你的信差。"

"小燕子，谢谢你。"王子说。

燕子便从王子的剑柄上啄下了那块大的宝红石，衔着它向远处飞去了。最后他到了那所穷人的屋子，跳进窗里，把红宝石放在桌上，就放在妇人的顶针旁边。过后他又轻轻地用翅子扇着小孩的前额。"我觉得多么凉，"孩子说，"我一定好起来了。"他便沉沉地睡去了，睡得很甜。

燕子回到快乐王子那里，把他做过的事讲给王子听。天亮以后他飞下河去洗了一个澡。"今晚上我要到埃及去。"燕子说，他想到前途，心里非常高兴。他把城里所有的公共纪念物都参观过了。月亮升起的时候，他飞回到快乐王子那里，问道："你在埃及有什么事要我办吗？我就要动身了。"

"燕子，燕子，小燕子，"王子说，"你不肯陪我再过一夜么？"

"朋友们在埃及等我。"燕子回答道。

"燕子，燕子，小燕子，"王子说，"远远的，在城的那一边，我看见一个年轻人住在顶楼里面。他埋着头在一张堆满稿纸的书桌上写字，手边一个大玻璃杯里放着一束枯萎的紫罗兰。他在写一个戏，预备给戏院经理送去。可是他太冷了，一个字都写不了了。炉子里没有火，他又饿得头昏眼花。"

"我愿意陪你再过一夜，"燕子说，他的确有好心肠，"你要我也给他送一块红宝石去吗？"

"唉！我现在没有红宝石了，"王子说，"我就只剩下一对眼睛。它们是用珍奇的蓝宝石做成的。"

"我亲爱的王子，我不能够这样做。"燕子说着哭起来了。

"燕子，燕子，小燕子，"王子说，"你就照我吩咐你的做吧。"

燕子便取出王子的一只眼睛，往学生的顶楼飞去了。屋顶上有一个洞，他便从洞里飞了进去。那个年轻人两只手托着脸颊，没有听见燕子的扑翅声，等到他抬起头来，却看见那颗美丽的蓝宝石在枯萎的紫罗兰上面了。

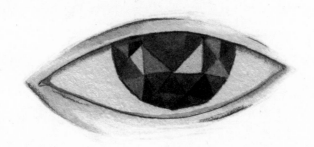

　　"现在开始有人赏识我了，"他叫道，"我现在可以写完我的戏了。"

　　第二天燕子又飞到港口去。等到月亮上升的时候，他又回到快乐王子那里去。

　　"我是来向你告别的。"他叫道。

　　"燕子，燕子，小燕子，"王子说，"你不肯陪我再过一夜么？"

　　"这是冬天了，"燕子答道，"寒冷的雪就快要到这儿来了。"

　　"就在这下面的广场上，站着一个卖火柴的小女孩，"王子说，"倘使她不带点钱回家，她的父亲会打她的，她现在正哭着。她没有鞋、没有袜，小小的头上没有一顶帽子。你把我另一只眼睛也取下来，拿去给她。"

　　"我愿意陪你再过一夜，"燕子说，"可是我却不能够取下你的眼睛。那时候你就会变成瞎子了。"

　　"燕子，燕子，小燕子，"王子说，"你就照我吩咐你的话做吧。"

他便取下王子的另一只眼睛，带着它飞到下面去。他飞过卖火柴女孩的面前，把宝石轻轻放在她的手掌心里。"多么可爱的玻璃！"小女孩叫起来，她一面笑着跑回家去。

燕子又回到王子那儿。他说："你现在眼睛瞎了，我要永远跟你在一起。"

"不，小燕子，"可怜的王子说，"你应该到埃及去。"

"我要永远陪伴你。"燕子说，他就在王子的脚下睡了。第二天他整天坐在王子的肩上，给王子讲起他在那些奇怪的国土上见到的种种事情。

"亲爱的小燕子，"王子说，"你给我讲了种种奇特的事情，可是最奇特的还是那许多男男女女的痛苦。小燕子，你就在这个城的上空飞一转吧，你告诉我你在这个城里见到些什么事情。"

燕子便在这个大城的上空飞着，他看见有钱人在他们的漂亮的住宅里作乐，乞丐们坐在大门外挨冻。他便回去把看见的景象告诉了王子。

"我满身贴着纯金，"王子说，"把它一片一片地拿掉，去送给那些穷人吧。活着的人总以为金子能够使他们幸福。"

燕子把纯金一片一片地啄了下来，拿去送给那些穷人。小孩们的脸颊上现出了红色，他们在街上玩着，大声笑着。"我们现在有面包了。"他们这样叫道。

随后雪来了，严寒也到了。可怜的小燕子一天比一天地觉得冷了，可是他仍然不肯离开王子，他太爱王子了。但是最后他知道自己快要死了。他就只有一点气力，够他再飞到王子的肩上去一趟。"亲爱的王子，再见了！"他喃喃地说，"你愿意让我亲你的手吗？"

"小燕子，我很高兴你到底要到埃及去了，"王子说，"你在这儿住得太久了，不过你应该亲我的嘴唇，因为我爱你。"

"我现在不是到埃及去。"燕子说。

他吻了快乐王子的嘴唇，然后跌在王子的脚下，死了。那时候雕像内部发出奇怪的爆裂声，好象有什么东西碎了似的。那是王子的铅心裂成两半的声音。

# 大山的回答

佚名 著

　　有一个孩子跑到山上，无意间对着山谷喊了一声：
"喂——"声音刚落，从四面八方传来了阵阵"喂——"的回
声。大山答应了。孩子很惊讶，又喊了一声："你是谁？"大山
也回应："你是谁？"孩子喊："为什么不告诉我？"大山也
说："为什么不告诉我？"

　　孩子忍不住生气了，喊道："我恨你。"他哪里知道这一喊
不得了，整个世界传来的声音都是："我恨你，我恨你……"

　　孩子哭着跑回家，告诉了妈妈，妈妈对孩子说："孩子，你
回去对着大山喊'我爱你'，试试看结果会怎样，好吗？"

　　孩子又跑到山上。果然这次孩子被包围在"我——爱——
你，我——爱——你……"的回声中。

　　孩子笑了，群山也笑了。

# 月夜与眼镜

［日本］小川未明 著　彭懿 周龙梅 译

这是一个小镇、田野以及所有地方都被绿叶环抱的季节。

一个月光皎洁的恬静的夜晚。静悄悄的小镇边上，住着一位老奶奶。老奶奶家里只有她一个人，这天夜里，她正坐在窗下做针线活儿呢。

煤油灯的灯光，把周围映照得分外安宁。老奶奶上了年纪，老眼昏花，线怎么也穿不过针眼儿。于是，老奶奶就对着煤油灯的灯光，眯起眼睛，一遍一遍地找针眼儿，还不时地用布满皱纹的指尖捻捻细线。

月光把这个世界映成了一片淡蓝色。树、房屋和山丘，都仿佛浸泡在微温的水里。老奶奶就这样一边做针线活儿，一边想着自己年轻时的事情、远方的亲人以及住在别处的孙女。

只有柜子上的闹钟，在"滴答，答答，滴答，答答"地走动，四下里安静极了。偶尔，会从小镇那人来人往、嘈杂喧闹的街道方向，传来什么叫卖声，还隐约听得见火车驶过时发出的轰鸣声。

老奶奶迷迷糊糊的，如同在做梦一般，安稳地坐在那里。她甚至连自己现在在哪里，在做什么，好像都想不起来了。

就在这时，门外响起了"咚咚、咚咚"的敲门声。老奶奶竖起已经很聋了的耳朵，朝发出声音的方向听了听。她想，都这个时候了，不会有人来了。一定是风声吧？风就是这样漫无目的地吹过原野和小镇的。

可现在，从窗下传来了一阵轻轻的脚步声。这回老奶奶倒是听见了。

"老奶奶！老奶奶！"有人在叫。

一开始，老奶奶还以为自己的耳朵听错了。于是，她把手停了下来。

"老奶奶，请您打开窗户。"又有人叫道。

老奶奶心想，是谁在这么说话呢？她站了起来，打开了窗户。银白色的月光将屋子外面照得像白天一样明亮。窗下站着一个个子不太高的男人，正在朝上望着。男人戴着一副黑眼镜，留着胡子。

"你是谁呀？我不认识你啊。"老奶奶说。

老奶奶看着陌生人的那张脸，心想，这个人大概是找错门了吧？

"我是卖眼镜的，我带来了各种各样的眼镜。我还是头一回到这座小镇里来，这里可真是一座舒适、美丽的小镇啊！今晚月光特别好，我正在到处叫卖呢！"那个男人说。

老奶奶正在为自己老眼昏眼花，线穿不进针眼儿发愁呢，于是就问：

"有没有适合我的眼睛、能让我看清楚的眼镜？"

男人打开了手提箱的盖子，然后，在里面挑起适合老奶奶的眼镜来了，很快，就找出来一副玳瑁镜框的大眼镜来，把它递给了从窗口探出头来的老奶奶。

"戴上这副眼镜，管保您什么都看得清清楚楚。"男人说。

窗下，男人站着的地面上，白的、红的、蓝的，各式各样的花草在月光的辉映下幽幽开放，香气扑鼻。

老奶奶戴上眼镜，试着瞧了瞧闹钟上的数字和日历牌上的字，一个个字迹都可以清楚地分辨出来。老奶奶想，这就像几十年前自己还是个姑娘时一样，什么都可以看得清清楚楚。老奶奶高兴极了。

"就给我这副吧。"说着，老奶奶立刻就买下了这副眼镜。

老奶奶刚把钱递过去，那个戴着黑眼镜、留着胡子的卖眼镜的男人就走了。男人不见了，但窗外的花草却还和刚才一样，在月夜的空气中散发着阵阵香气。

老奶奶关上窗户，又回到原来的位置上坐了下来。这回，可以毫不费力地就把线穿过针眼儿了。老奶奶一会儿戴上眼镜，一会儿又摘了下来，就像个孩子一样，好奇地摆弄来摆弄去。还有就是因为平时不戴眼镜，现在突然戴上了，所以周围的样子全都变了。

老奶奶又将戴着的眼镜摘了下来，然后，把它放到了柜子上的闹钟旁边。太晚了，该休息了，于是，老奶奶开始收拾起针线活儿来。

这时，门外又有人"咚咚、咚咚"地敲门。老奶奶竖起耳朵听了听。

"好奇怪的夜晚啊！这么晚了，怎么又有人来了呢？……"老奶奶说着，看了看表，外面虽然被月光映照得十分明亮，但夜已经很深了。

老奶奶站起身来，向门口走去。好像是一只小手在敲门，传来一串清脆悦耳的"咚咚、咚咚"的声音。

"都这么晚了……"老奶奶嘴里嘀咕着，可还是打开了门。只见一个十二三岁的美少女眼睛湿润地站在那里。

"你是谁家的孩子呀？这么晚了，怎么跑到这里来了？"老奶奶纳闷地问。

"我在镇上的香水厂做工。每天把从白玫瑰花瓣儿里提炼出来的香水，装进瓶子，晚上很晚才回家。今天晚上也是，下班了，一个人溜达溜达，正借着明亮的月光往回走呢，却绊在了石头上，把脚指头碰破了，伤成这个样子。我疼得实在忍无可忍，血流不止，可家家户户都已经睡下了。我从您家门前走过时，正巧您还没睡。我知道老奶奶是个亲切、善良的好心人，所以就来敲您的门了。"长发美少女说。

少女身上隐隐散发出阵阵香水的馨香，就在这么说话的当口，老奶奶还闻到了一股扑鼻的香气。

"这么说，你认识我？"老奶奶问道。

"我以前常常在您家门前经过，看到老奶奶在窗下做针线活儿。"少女回答说。

"哎呀，真是个乖孩子！来，让奶奶看看你受伤的脚指头。我给你上点药吧。"老奶奶说完，把少女领到了煤油灯前。少女伸出了可爱的指头给老奶奶看，只见鲜血顺着雪白的指头直往外流。

"啊，太可怜啦！一定是被石头给擦破的吧？"老奶奶嘴里嘀咕着，可是由于老眼昏花，所以血究竟是从哪里流出来的，她看不清楚。

"刚才的那副眼镜哪里去了？"老奶奶赶紧在柜子上找了起来。眼镜就在闹钟旁边，于是，老奶奶赶快戴上了它，想仔细看看少女的伤口。

老奶奶戴上眼镜，想好好看看这位常常在自己家门口经过的美少女的脸颊。不看则已，一看，把老奶奶的魂都吓飞了。原来那根本不是少女，而是一只美丽的蝴蝶。老奶奶一下子想起来了，听人说过，在这样恬静的月夜里，经常会有一只蝴蝶变成人，飞到深夜未眠的人家来的故事。那只蝴蝶的脚受了伤。

"乖孩子，到这边来吧。"老奶奶温柔地说。说完，老奶奶走在前面，出了门，绕到了后花园那边。少女一声不吭地跟在老奶奶后边。

花园里正是百花争艳的季节。白天会有很多蝴蝶和蜜蜂聚集在这里，热闹非凡。可是现在大概都落在叶子后面做美梦呢，一片幽静。唯有银白色的月光如流水一般地倾泻着。墙跟那边，一簇茂盛的白玫瑰绽开了雪白的花朵。

"哎？姑娘哪里去了？"老奶奶猛地站住脚，回头望去。原以为跟在后面的少女，不知什么时候没影儿了，没听到脚步声，就不见了。

"人家都休息了，我也该睡觉了。"老奶奶说完，就进屋里去了。

真是个美好的月夜啊！

034

# 皮昂比诺的糖果雨

[意大利] 贾尼·罗大里 著　张密 张守靖 译

　　有一次，在皮昂比诺下了一场糖果雨。哗啦啦洒下来，就像一颗颗冰雹，还是五颜六色的：绿的、紫的、蓝的、玫瑰色的，什么颜色的都有。一个小孩捡了一颗绿的放在嘴里试了一下，立马发现是薄荷味的；另一个孩子尝了一块玫瑰色的，那是草莓味的。

　　"快来呀！都是糖果，都是糖果！"

　　所有人都来到马路上，想把自己的口袋塞得满满的。糖果雨密密麻麻地落下来，大家都来不及捡啦。

　　雨下了一会儿就停了，但是香气扑鼻的糖果已经像地毯一样铺满了马路，踩上去还咯吱咯吱作响。放学回家的学生们一个个把自己的书包装得鼓鼓的。老太太们也摘下漂亮的头巾，打成小包袱，兜满了糖果。

　　这是一个多么伟大的日子啊。

　　直到现在还有许多人等着从天上落下糖果雨呐，但是那片云再也没有从皮昂比诺上空飘过，或许也不会从我们头上飘过去了吧！

# 小壁虎借尾巴

林颂英 著

　　小壁虎在墙角捉蚊子，一条蛇咬住了它的尾巴。小壁虎一挣，挣断尾巴逃走了。

　　没有尾巴多难看啊！小壁虎想，向谁去借一条尾巴呢？

　　小壁虎爬呀爬，爬到小河边。他看见小鱼摇着尾巴。小壁虎说："小鱼姐姐，您把尾巴借给我行吗？"小鱼说："不行啊，我要用尾巴拨水呢。"

　　小壁虎爬呀爬，爬到大树上。他看见老黄牛甩着尾巴，在树下吃草。小壁虎说："牛伯伯，您把尾巴借给我行吗？"老黄牛说："不行啊，我要用尾巴赶蝇子呢。"

　　小壁虎爬呀爬，爬到屋檐下。他看见燕子摆着尾巴，在空中飞来飞去。小壁虎说："燕子阿姨，您把尾巴借给我行吗？"燕子说："不行啊，我要用尾巴掌握方向呢。"

　　小壁虎借不到尾巴，心里很难过。他爬呀爬，爬回家里找妈妈。

　　小壁虎把借尾巴的事告诉了妈妈。妈妈笑着说："傻孩子，你转过身子看看。"小壁虎转身一看，高兴地叫起来："我长出一条新尾巴啦！"

# 拔萝卜

[俄罗斯]阿·托尔斯泰 著　佚名 译

　　春天，老公公买到一粒特殊的种子，他把奇怪的种子种到了地里。没过几天，就长出了一个萝卜。于是，老公公天天都给萝卜浇水。老公公对着萝卜说："长吧，长吧，萝卜啊，长得甜啊！长吧，长吧，萝卜啊，长得大啊！"萝卜就像听懂了老公公的话一样，越长越大，大得像房子一样。

　　秋天，老公公来拔萝卜啦。他拉住萝卜叶子，"嗨哟，嗨哟"拔呀拔，拔不动。老公公叫老婆婆来帮忙，老公公喊："老婆婆，老婆婆，快来帮忙拔萝卜！""哎，来了，来了。"老婆婆拉着老公公，老公公拉着萝卜叶子，"嗨哟，嗨哟"拔呀拔，还是拔不动。老婆婆喊："小姑娘，快来帮忙拔萝卜！""哎，来了来了。"小姑娘

拉着老婆婆，老婆婆拉着老公公，老公公拉着萝卜叶子，"嗨哟，嗨哟"拔呀拔，还是拔不动。小姑娘喊："小花狗，快来帮忙拔萝卜！""汪汪汪！来了来了。"小狗拉着小姑娘，小姑娘拉着老婆婆，老婆婆拉着老公公，老公公拉着萝卜叶子，"嗨哟，嗨哟"拔呀拔，还是拔不动。小狗喊："小花猫，快来帮忙拔萝卜！""喵喵喵！来了来了。"小花猫拉着小狗，小狗拉着小姑娘，小姑娘拉着老婆婆，老婆婆拉着老公公，老公公拉着萝卜叶子，"嗨哟，嗨哟"拔呀拔，还是拔不动。小花猫喊："小老鼠，快来帮忙拔萝卜！""吱吱吱！来了来了。"小老鼠拉着小花猫，小花猫拉着小狗，小狗拉着小姑娘，小姑娘拉着老婆婆，老婆婆拉着老公公，老公公拉着萝卜叶子，"嗨哟，嗨哟"拔呀拔。大伙使劲地拔呀拔，累得满头大汗。大萝卜有点松动了。于是，大家再用力地拔呀拔，大萝卜终于拔出来了！

看着这个比房子还大的萝卜，老公公可高兴啦！小姑娘和小动物们围着萝卜又蹦又跳。为了把大萝卜运回家，老公公又做了一个好大好大的推车。大伙一起使劲地把萝卜推上了车，他们高高兴兴地帮老公公和老婆婆把萝卜拉回了家。

# 棕色的瘦狮子

［美国］凯斯林·杰克逊 著　楼飞甫 译

　　有一只棕色的狮子，从来没有吃饱过肚子，它已经饿得很瘦很瘦了。

　　它想得可美啦：星期一去捉猴子吃，星期二去捉袋鼠吃，星期三去捉斑马吃，星期四去捉熊瞎子吃，星期五去捉骆驼吃，星期六去捉大象吃。它要真能捉到这些动物呀，一定吃得滚胖滚胖啦！可是，它啥动物也没有捉住过。它饿得越来越瘦了。森林里的那些动物，因为瘦狮子要捉它们，天天提心吊胆的。它们一看见瘦狮子，就远远跑开了。

　　"可惜你们跑得太远了，"瘦狮子抱怨说，"你们要不是远远地躲着我呀，我就一定能捉住一只，我一定会吃得滚胖滚胖的！"

　　有一天，一只胖小兔到森林里采野果。大动物们看见了，都咧开嘴巴笑了。

"兔老弟！"它们狡猾地说，"你就要交好运啦！我们正要派你去跟狮子谈谈呢！"

胖小兔听了，感到很光荣。"谈什么呢？"它急忙问。

"说什么都行！"大动物们说，"重要的是要到狮子跟前说！"

胖小兔跳过去了，它很快跳到了瘦狮子的肚子旁边。瘦狮子的肚子已经饿得瘪进去了，肋骨一根一根凸出来。

"狮伯伯，您看来太瘦啦！"兔子说，"您愿意到我家吃晚饭吗？"

"晚饭吃什么？"狮子问。

胖小兔说："煮胡萝卜！"

瘦狮子可威风啦！它的眼睛严厉地瞪着胖小兔，想马上一口吞下这送到嘴边的食物。胖小兔说："真的，狮子伯伯，我家里还有五个姐妹和四个兄弟，它们现在正在煮一大锅好吃的胡萝卜呢！"瘦狮子一听它家里还有那么多胖小兔，乐了。它叫道："我们还等什么呀？快走吧！快走吧！"瘦狮子跟着蹦蹦跳跳的胖小兔，向前面走去。它一边走一边想："今天能吃上十只胖小兔啦！哈哈，还是你自己邀请我去的呢！"

"好！"躲在一旁看的大动物们，都露出牙齿笑了，"今天，兔子一家可要倒大霉啦！"

一路上，胖小兔采着野果、蘑菇和各种各样的野菜。不多会儿，它的篮子就采满了。它又走到河堤下面去。"等一会儿！"胖小兔对瘦狮子说，"让我钓一些鱼儿，回家煮煮吃！"

瘦狮子已经很饿很饿了，它真想马上吃掉胖小兔。但它一想到胖小兔家里还有五个胖姐妹和四个胖兄弟，就咽咽口水忍住了。它一遍又一遍地提醒自己："先熬熬！先熬熬！"等胖小兔钓到一些鱼后，它们又上路了。

走了好长好长一段路，胖小兔跳着转过身子说："瞧，我们就住在这儿！"

瘦狮子抬头瞧瞧，已经到小兔子的家门口了。它看见一大锅胡萝卜正"噗噗"地喷着热气，大概快要煮熟了。瘦狮子仔细数了数，果然有九只胖小兔，它们正快活地在周围蹦蹦跳跳。它们一看见胖小兔手里提着鱼、蘑菇和野菜，就赶快来接过去，

"噼噼啪啪"丢进锅里去煮。一股钻鼻孔的香气，很快从锅子里飘出来。

胖小兔们看见棕色的瘦狮子后，可忙坏啦！它们匆匆忙忙蹦跳着，找出一只很大很大的碗，盛了满满一碗热腾腾的胡萝卜，马上端给瘦狮子吃。瘦狮子又累又饿，它一接过香喷喷的胡萝卜，马上"咕喳咕喳"吃起来，它吃完一碗，胖小兔们又赶忙给它盛了一碗。瘦狮子吃够了胡萝卜，胖小兔们马上又给它装了满满一大碗野果。瘦狮子吃完野果后，变得不再像原来那么瘦了。它觉得自己的肚子又圆又大，已经没法儿在平地上移动了。它心里感到很愉快。

"这真是一件好事情，"它对自己说，"这些胖小兔呀，已经让我没法进房间啦！"它眼睁睁地看着那些胖嘟嘟的小兔子跳来跳去，真希望自己的肚子再一次饿起来。"我想在这儿多待一会儿，你们欢迎吗？"狮子问。"我们才不愿意你马上离开呢！"兔子们说。它们纷纷跳到狮子的面前，"咿咿呀呀"地唱起歌来。

天越来越晚了，已经到睡觉的时候了，可是狮子的肚子还是鼓鼓的，一点儿都不感到饿。狮子只得回家去了，它在月光下走着，一边走一边唱着歌儿。回到家，它蜷曲着身子躺在床上。它轻轻拍着自己吃得饱饱的肚子，开心地笑了。

第二天是星期一。狮子一觉醒来，见天已经亮了。它一骨碌爬起来说："唔，今天是捉猴子的日子！"但是它摸摸肚皮，还是鼓鼓的。它一点儿都不饿，就不想再捉猴子了。它想："胡萝卜真好吃！"它还想再吃一些，就离开自己的家，又去访问胖小兔一家了。

从此，它不再想捉动物吃了。星期二它不再去追袋鼠，星期三不再去追斑马，星期四不再去追熊瞎子，星期五不再去追骆驼，星期六不再去追大象。

所有大动物都感到很奇怪，又感到很高兴。它们穿了最好最好的衣裳，一起去看望胖小兔。"兔老弟呀，"它们说，"你可给我们办了好事儿啦！请你告诉我们吧，你是怎么对付那头可怕的瘦狮子的？"

胖小兔很有礼貌地"扑通扑通"跳着说："噢，就靠我的胆子大，心肠好呀！我们待它好，它也待我们好；我们很快活，它也很快活！"

　　它们正说着，那头棕色的狮子从小路上跑来了。它带来了好多礼物：为兔子姐妹采了一篮野果，为兔子兄弟捉了一串鱼，为胖小兔采了一大捆最好最好的野菜。"我又来吃晚饭啦！"狮子向大家摇摇脚爪说。

　　接着它坐在软绵绵的草地上。它的肚子已经胖得流油了，它浑身皮毛都滑溜溜的，就像披着一匹绸缎。它很愉快，又饱饱地吃了一顿胡萝卜晚餐。

# 狼来了

[古希腊]伊索 著　马嘉恺 译

从前，有个放羊娃，每天都去山上放羊。

一天，他觉得十分无聊，就想了个捉弄大家寻开心的主意。他向着山下正在种田的农夫们大声喊："狼来了！狼来了！救命啊！"农夫们听到喊声，急忙拿着锄头和镰刀往山上跑，他们边跑边喊："不要怕，孩子，我们来帮你打恶狼！"

农夫们气喘吁吁地赶到山上一看，连狼的影子也没有！放羊娃哈哈大笑："真有意思，你们上当了！"农夫们生气地走了。

第二天，放羊娃故伎重演，善良的农夫们又冲上来帮他打狼，可还是没有见到狼的影子。

放羊娃笑得直不起腰："哈哈！你们又上当了！哈哈！"

大伙儿对放羊娃一而再、再而三地说谎十分生气，从此再也不相信他的话了。

过了几天，狼真的来了，一下子闯进了羊群。放羊娃害怕极了，拼命地向农夫们喊："狼来了！狼来了！快救命呀！狼真的来了！"

农夫们听到他的喊声，以为他又在说谎，大家都不理睬他，没有人去帮他，结果放羊娃的许多羊都被狼咬死了。

# 年的故事

佚名 著

　　相传中国古时候有一种叫"年"的怪兽，长着青面獠牙、尖角利爪，凶恶无比。"年"长年深居山中，到除夕才下山吞食牲畜、伤害人命。因此，每到除夕这天，家家户户都离家躲避年兽的伤害，把这个称为"过年"。

　　某年除夕，人们正扶老携幼上山避难，从村外来了个乞讨的老人。人们有的封窗锁门，有的收拾行装，到处一片匆忙恐慌景象，没有人关心这乞讨的老人，只有村东头一位老妇包了饺子请老人吃，劝他快上山躲避年兽。为了报答老妇的好心，老人告诉她"年"最怕红色、火光和炸响，要她穿红衣，在门上张贴红纸、点上红烛，在院内燃烧竹子发出炸响。

　　半夜时分，年兽闯进村。发现村中灯火通明，它的双眼被刺眼的红色逼得睁不开，又听到有人家里传来响亮的爆竹声，于是浑身战栗着逃走了。从此人们知道了赶走"年"的方法，每年除夕家家贴红对联、燃放爆竹；户户烛火通明、守更待岁。初一一大早，还要走亲访友道喜问好，恭贺对方躲过了年兽的肆虐。

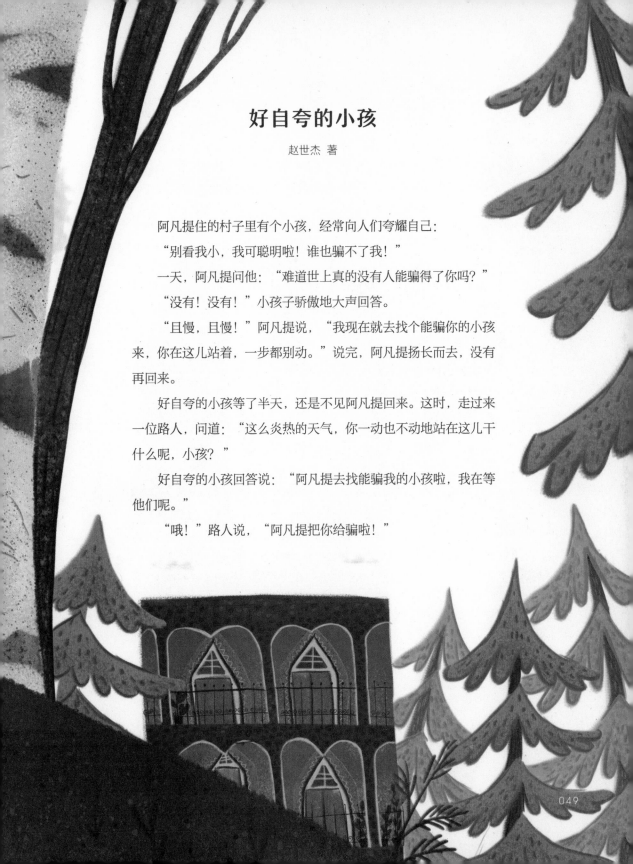

# 好自夸的小孩

赵世杰 著

阿凡提住的村子里有个小孩，经常向人们夸耀自己：

"别看我小，我可聪明啦！谁也骗不了我！"

一天，阿凡提问他："难道世上真的没有人能骗得了你吗？"

"没有！没有！"小孩子骄傲地大声回答。

"且慢，且慢！"阿凡提说，"我现在就去找个能骗你的小孩来，你在这儿站着，一步都别动。"说完，阿凡提扬长而去，没有再回来。

好自夸的小孩等了半天，还是不见阿凡提回来。这时，走过来一位路人，问道："这么炎热的天气，你一动也不动地站在这儿干什么呢，小孩？"

好自夸的小孩回答说："阿凡提去找能骗我的小孩啦，我在等他们呢。"

"哦！"路人说，"阿凡提把你给骗啦！"

# 逃跑的鼻子

[意大利] 贾尼·罗大里 著　张密 张守靖 译

一天早晨，住在轮船码头对面的一位先生起了床。他对着镜子准备刮胡子，突然大声地叫了起来：

"天哪！我的鼻子不见了！"

鼻子，脸上的鼻子没有了。在它待过的地方，现在只剩下光溜溜的一片了。那位先生赶紧跑上阳台，正好看见他的鼻子穿过广场朝小码头快步前进呢。

那位先生急急忙忙下了楼，追赶逃跑的鼻子，一面追，一面用手帕捂着脸，像得了感冒似的。可不幸得很，他没追上他的鼻子，也不知道它究竟跑到哪儿去了。

几天以后，一个渔夫在收渔网的时候发现了逃跑的鼻子，就把它拿到市场上，打算卖一笔钱。恰巧那位先生的女仆来到了市场，想要买几条鱼。她一眼就看见了放在鲤鱼和梭鱼之间的鼻子。

"这不是我主人的鼻子吗！"她惊叫着说，立即花了一大笔钱把这个鼻子买了回来。然后小心翼翼地把它包在手帕里，带回家交给了先生。

那位先生颤抖地捧着他的鼻子，气呼呼地说："你……你为什么要开小差？我做了什么对不起你的事吗？"

鼻子斜眼瞧着他，非常嫌恶地说："你听着！从今以后你不要再把手指头放进鼻子里。最起码得把指甲剪短些！"

# 三只小猪盖房子

[英国]詹姆士·霍利威尔 著　宋茜 译

　　猪妈妈有三个孩子，一个叫小黑猪，一个叫小白猪，还有一个叫小花猪。

　　有一天，猪妈妈对小猪们说："现在，你们已经长大了，应该学一些本领。你们各自去盖一间房子吧！"

　　三只小猪问："妈妈，用什么东西盖房子呢？"猪妈妈说："稻草、木头、砖都可以盖房子，但是草房没有木房结实，木房没有砖房结实。"

　　三只小猪高高兴兴走了。走着，走着，看见前面一堆稻草。小黑猪忙说："我就用这稻草盖草房吧。"小白猪和小花猪一起向前走去，走着，走着，看见前面有一堆木头。小白猪连忙说："我就用这木头盖间木房吧。"

　　小花猪还是向前走去，走着，走着，看见前面有一堆砖头。小花猪高兴地说："我就用这砖盖间砖房吧。"于是，小花猪一块砖一块砖地盖起来，不一会儿就满身大汗，胳膊也酸了，可是小花猪还不肯歇一下。砖房终于盖好啦！小花猪乐得直笑。

　　山后边住着一只大灰狼，它听说来了三只小猪，哈哈大笑说："三只小猪来得

好，正好让我吃个饱！"

　　大灰狼来到草房前，叫小黑猪开门。小黑猪不肯开。大灰狼用力撞一下，草房就倒了。小黑猪急忙逃出草房，边跑边喊："大灰狼来了！大灰狼来了！"木房里的小白猪听见了，连忙打开门，让小黑猪进来，又把门紧紧地关上。

　　大灰狼来到木房前，叫小白猪开门。小白猪不肯开。大灰狼用力撞一下，小木房晃了一晃。大灰狼又用力撞了一下，木房就倒了。小黑猪、小白猪急忙逃出木房，边跑边喊："大灰狼来了！大灰狼来了！"砖房里的小花猪听了，连忙打开门，让小黑猪和小白猪进来，又紧紧地把门关上。

　　大灰狼来到砖房前，叫小花猪开门。小花猪不肯开。大灰狼用力撞一下，砖房一动也不动，又撞一下，砖房还是一动也不动。大灰狼用尽全身力气，朝着砖房撞过去，砖房还是一动也不动。大灰狼头上撞出了三个疙瘩，四脚朝天地跌倒在地上。大灰狼看到房顶上有一个大烟囱，就爬上房顶，从烟囱里钻进去。三只小猪忙在炉膛里添了许多柴，把炉火烧得旺旺的。大灰狼从烟囱里钻进去，跌进了大炉膛，被炉火烧死了。

# 三个和尚

佚名 著

古时候，一个活泼伶俐的小和尚来到山上的一座寺庙。他勤快地挑水，缸里的水满了，还往菩萨手中的净瓶里灌水，净瓶里的柳枝生意盎然。

不久，来了一个瘦和尚。他与小和尚在挑水上发生了争执，谁也不愿意吃亏。于是，两人商量一起抬水。

后来，又来了一个胖和尚。三个和尚都要喝水，但都不愿意多挑水。没过两天，缸里没水了，净瓶里的柳枝也因为没有水而开始枯萎了。

一天夜里，三个和尚都在打盹儿的时候，一根正在燃烧的蜡烛掉在香案上，寺庙起火了。危急之中，三个和尚一起争先恐后地挑水灭火。一场大火很快被扑灭了。

大火过后，三个和尚似乎都明白了些什么。从此，水缸里的水又满了，三个和尚高高兴兴地捧着大碗喝水，菩萨手中净瓶里的柳枝又亭亭玉立了。

# 自私的巨人

[英国]奥斯卡·王尔德 著　巴金 译

每天下午，孩子们放学以后，总喜欢到巨人的花园里去玩。

这是一个可爱的大花园，园里长满了柔嫩的青草。草丛中到处露出星星似的美丽花朵。还有十二棵桃树，在春天开出淡红色和珍珠色的鲜花，秋天长出丰硕的果子。小鸟们坐在树枝上唱着悦耳的歌，唱得那么动听，孩子们都停止了游戏来听它们。

有一天巨人回来了。他到了家，看见小孩们正在花园里玩。"你们在这儿做什么？"他粗暴地叫道，小孩们都跑开了。

"我的花园就是我自己的花园。"巨人说。他就在花园的四周筑了一道高墙，挂起一块布告牌来："不准擅入，违者重惩。"

他是一个非常自私的巨人。

那些可怜的小孩们现在没有玩的地方了。

春天来了，到处都开着小花，都是小鸟歌唱。单单巨人的花园里仍旧是冬天的气象。鸟儿不肯在他的花园里唱歌，因为那里再没有小孩的踪迹，树木也忘了开花。偶尔有一朵美丽的花从草间伸出头来，可是看见那块布告牌，禁不住十分怜惜那些不幸的孩子，就马上就缩回到地里，又去睡觉了。

"我不懂为什么春天来得这样迟。"巨人坐在窗前，望着窗外他那寒冷的、雪白的花园。可是春天始终没有来，夏天也没有来。秋天给每个花园带来金色果实，但巨人的花园却什么也没有得到。"他太自私了。"秋天说。

一天早晨巨人醒了，忽然听见了动人的音乐。是一只小小的梅花雀在他的窗外唱歌。一股甜香透过开着的窗来到他的鼻端。"我相信春天到底来了。"巨人说。他便跳下床去看窗外。

他看见了什么呢？

他看见一个非常奇怪的景象。孩子们从墙上一个小洞爬进园子里来，他们都坐在树枝上面。每一棵树上都可以见到一个小孩。树木看见孩子们回来十分高兴，便都

用花朵把自己装饰起来，还在孩子们的头上轻轻地舞动胳膊。鸟儿们快乐地四处飞舞歌唱，花儿们也从绿草中间伸出头来看。只有一个角落里冬天仍然留着，一个小孩正站在那里。他太小了。"快爬上来，小孩！"树对孩子说，一面尽可能地把枝子垂下去，然而孩子还是太小了。

巨人看见窗外这个情景，对自己说："我是多么自私啊！现在我才明白为什么春天不肯到这儿来了。我要把那个可怜的小孩放到树上去。我要把墙毁掉，把我的花园永远永远变作孩子们的游戏场。"他的确为他从前的举动感到十分后悔。

他轻轻地走下楼，静悄悄地打开前门，走进院子里去。但是孩子们看见他，非常害怕，立刻逃走了。花园里又现出冬天的景象。只有那个最小的孩子没有跑开，因为他的眼里充满了泪水，没看见巨人走过来。巨人偷偷地走到他后面，轻轻地抱起他，放到树枝上去。这棵树马上开花了，鸟儿们也飞来在枝上歌唱，小孩伸出他的两只胳膊，抱住巨人的颈项，亲吻他。别的小孩看见巨人不再像先前那样凶狠了，便都跑回来。春天也就跟着小孩来了。巨人对他们说："孩子们，花园现在是你们的了。"

巨人和小孩们玩了一整天。天黑了，小孩们便来向巨人告别。

"可是你们那个小朋友在哪儿？我是说我放到树上去的那个孩子。"巨人最爱那个小孩，因为那个小孩吻过他。

"我们不知道，他已经走了。"小孩们回答。

"你们叫他明天一定要到这儿来。"巨人嘱咐道，但是小孩们说他们不知道他住在什么地方，而且他们以前从没有见过他。

每天下午小孩们放学以后，便来找巨人一块儿玩。巨人对待所有的小孩都很和气，可是他非常想念他的第一个小朋友，并且时常讲起他。"我多么想看见他啊！"他时常这样说。

许多年过去了，巨人也很老了。他不能够再跟小孩们一块儿玩。他坐在一把大的扶手椅上看小孩们玩各种游戏。他说："我有许多美丽的花，可是孩子们却是最美丽的。"

# 去年的树

[日本]新美南吉 著　彭懿 周龙梅 译

一棵树和一只小鸟是好朋友。小鸟天天在那棵树的枝头上唱歌，树从早到晚听着小鸟歌唱。

可是，寒冷的冬天快要到了，小鸟不得不跟树分手了。

树说："再见了，请你明年再来给我唱歌吧。"

"好吧，你要等着我啊！"说完，小鸟就朝南方飞去了。

春天又来了。原野上和森林里的雪融化了。小鸟又飞回到好朋友——去年的树那里。咦？怎么回事？树不见了。只剩下树根还留在那里。

小鸟问树根："立在这里的那棵树，到哪里去了？"

树根说："被伐木人用斧头砍倒，运到山谷里去了。"

小鸟朝山谷里飞去。山谷里有一座很大的工厂，传来了"沙沙"的锯木头的声音。小鸟落在工厂的大门上，问："大门大门，你知道我的好朋友树在哪里吗？"

大门回答说："你是问树吗？树已经在工厂里被锯成细木条，变成火柴，又被卖到远处的村子里去了。"

小鸟又朝村子里飞去。煤油灯旁边，有一个小姑娘。于是，小鸟问："小姑娘，你知道火柴在哪里吗？"小姑娘回答说："火柴已经烧完了。不过，火柴点燃的火苗，还在这盏煤油灯里亮着呢。"

小鸟一动不动地盯着火苗，然后为火苗唱起了去年的歌。火苗轻轻地摇晃着，好像很开心的样子。唱完了歌，小鸟又一动不动地看着火苗。后来，就不知飞到哪里去了。

# 乌鸦喝水

[古希腊]伊索 著　马嘉恺 译

　　一只乌鸦口渴了，他在低空盘旋着找水喝。找了很久，他才发现不远处有一个水瓶，便高兴地飞了过去，稳稳地停在水瓶口，准备痛快地喝水了。可是，水瓶里水太少了，瓶口又小，瓶颈又长，乌鸦的嘴无论如何也够不着水。这可怎么办呢？

　　乌鸦想，把水瓶撞倒，就可以喝到水了。于是，他从高空往下冲，猛烈撞击水瓶。可是水瓶太重了，乌鸦用尽全身的力气，水瓶仍然纹丝不动。

　　乌鸦一气之下，从不远处叼来一块石子，朝着水瓶砸下去。他本想把水瓶砸坏之后饮水，没想到石子不偏不倚，"扑通"一声正好落进了水瓶里。

　　乌鸦飞下去，看到水瓶一点儿都没破。细心的乌鸦发现，石子沉入瓶底，里面的水好像比原来高了一些。

　　"有办法了，这下我能喝到水了。"乌鸦非常高兴，他"哇哇"大叫着开始行动起来。他叼来许多石子，一块一块地投到水瓶里。随着石子的增多，水瓶里的水也一点儿一点儿地慢慢向上升……

　　终于，水瓶里的水快升到瓶口了，而乌鸦总算可以喝到水了。他站在水瓶口，喝着甘甜可口的水，心里是那么痛快、舒畅。

# 卖火柴的小女孩

[丹麦]安徒生 著　马嘉恺 译


　　天气极度寒冷。大雪纷飞，天就快黑了。

　　夜幕降临，这是今年的最后一个夜晚，有一个可怜的小女孩，没有帽子，没有鞋子，赤脚走在街上。女孩的双脚在寒冷中冻得又红又紫。她用破旧的围裙，兜着几盒火柴，她的手里也拿着一盒。已经过去整整一天，始终没有人来买火柴，没有人给她一分钱。

　　她在寒冷和饥饿中颤抖着，缓缓前行。可怜的小女孩！雪花飘落在她的长发，而那美丽的长发，打着漂亮的卷儿，一直披落到脖颈上。眼前所有的窗户，都闪烁着灯火，烤鹅的香味扑鼻而来，因为今晚是新年夜。是啊，她这才想起来！

　　转角处有两栋房子，其中一栋朝着街道凸出，于是她来到墙角坐下，把瘦小的双脚缩到了身子底下。她感到愈来愈冷，却不敢回家，因为她连一盒火柴也没卖出去，连一分钱也没有挣到。爸爸一定会揍她的。再说家里也很冷，只有一个破败漏风的屋顶。虽然那些最大的缝隙都用稻草和破布塞住了，可是风照样能钻进来。

　　她的手已经冻得失去了知觉。噢，只要点亮一根火柴，就能够温暖她了！要是她能从火柴盒里抽出一根，在墙上擦亮，暖一暖双手就好了。于是她抽出了一根。哧——嚓！火星四射，火柴点燃了！她用手护了上去，果然带来了暖意。明亮的火焰，恍若一根小小的蜡烛。那是一种奇异的光亮！女孩觉得自己仿佛坐在一只大铁炉跟前，这铁炉

是那么真实。多么不可思议的火光！多么温暖的火光！小女孩伸出双脚，想要把它们也暖一暖。可就在这时候，微弱的火焰熄灭了，大铁炉也消失不见了。她的手里，只剩下火柴烧完后的余烬。

她对着墙壁，又划亮了一根火柴。明亮的火焰旋即燃起。火光映落在墙上，宛若透明的薄纱。透过这层纱，她的视线仿佛穿过了墙壁，能够看到里面的房间了。房间里的桌子上，铺着一块雪白的餐布，餐布上摆着丰盛的晚餐。烤鹅冒着诱人的热气，肚子里塞满了苹果和梅干。还有更妙的呢：烤鹅把刀叉抱在胸前，然后跳下餐盘，在地板上摇摇晃晃地朝着小女孩走过来了。可就在这时，火柴又熄灭了。在她眼前的，不过是一道冰冷的厚墙。她再度划亮一根火柴。这回，她发现自己坐在了全世界最美的圣诞树下。绿色的树枝上，点着成百上千的烛火，彩色的画片悬挂上方，就跟她在商店里见过的一模一样。小女孩向它们伸出双手，火光却再次熄灭了。圣诞节的光亮向上升去，此刻在她眼中，已然明亮得宛若夜空中的星辰了。此时一颗星星倏然划落，在夜空中留下了一道火焰般的轨迹。

"那一定是有人离开了这个世界。"小女孩心想，因为她的老祖母——那个唯一爱着她、如今却已离开人世的人，曾经告诉她，每当一颗星星坠落，就有一个灵魂升入天堂。

她对着墙壁，又划亮了一根火柴。火光又亮起来了。火光中浮现出了老祖母的形象。她就在那儿，她的样子清晰可辨，熠熠生辉，那么慈祥又可亲。

"奶奶！"小女孩喊道，"噢，请您把我也带走吧！我知道，只要火柴熄灭，您就会消失的。您会和那只暖融融的铁炉、香喷喷的烤鹅，还有美丽的大圣诞树一样，彻底消失的！"

她飞快地划燃了整把火柴，因为她想和祖母在一起。那些火柴燃烧起来，明亮得如同白昼。祖母的形象从未像此刻这般栩栩如生和美丽。她张开双臂，拥抱住小女孩，然后一起飞向那远在这世界之上的光明与快乐。她们飞得很高、很远，在那里，没有寒冷，没有饥饿，没有害怕——在那里，她们与上帝同在。

墙角里，小女孩依偎着墙壁。她仍然坐在地上，脸颊红红的，嘴角挂着微笑。她在这年的最后一个夜晚，活活冻死了。新年的朝阳升起，俯照着那个可怜的、小小的身躯。那孩子就坐在那儿，冰冷而僵硬，她的手里拿着火柴，一捆已经燃尽的火柴。

"她不过是想要取暖。"人们说。可是没有人知道，她曾经见过多么美好的事物，也不会有人知道，当她和老祖母一起飞向那光明的新年时，她是多么幸福。

# 丑小鸭

[丹麦]安徒生 著　马嘉恺 译

时值夏日，郊外真是美丽。

阳光照在一栋庄园宅邸上面。这栋宅子颇为老旧，四周围长满了硕大的牛蒡叶。有只鸭子正坐在自己的窝里孵蛋。她有点累了。眼下她什么也没孵出来。

不过到最后，蛋壳终于接二连三地裂开了。"唧唧，唧唧！"小东西们纷纷叫着，探出脑袋，来到了这个世界。很快，他们便蹒跚学步，摇摇晃晃地走起路来。鸭妈妈站起身子，说："不对，好像还没全孵完。最大的那只蛋还躺在那儿呢。这只蛋

究竟还需要孵多久呢？我已经累得不行啦。"她虽然这么说，但还是把身子挪回窝里去了。

最后，那只大蛋终于裂开了。"唧唧。"小家伙叫道。他从蛋壳里滚出来，看上去又大又丑。鸭妈妈打量着他。"真是一只大得吓人的鸭子。"她说。

翌日，天气大好，晴空万里，阳光铺洒在绿色的牛蒡叶上，鸭妈妈带着一家子去河边。扑通！她下了水。小鸭子们也接二连三地跳进了水里。才一眨眼工夫，他们便游得得心应手了。就连那只又大又丑的小鸭子，也跟着一块儿游了起来。

"哈，"鸭妈妈说，"瞧啊，他的腿划得多么自如，游得多么稳健。嘎嘎，嘎嘎，跟我来。我要把你们介绍给鸭棚里的其他鸭子。"

这么着，他们便出发前往鸭棚了。

鸭子们围过来对丑小鸭打量起来，然后说："呃——呸！他多么丑陋啊！我们这里可容不了他。"有只鸭子冲上来，咬了丑小鸭的脖子。

"放过他吧，"鸭妈妈说，"他不会做什么坏事的。"

"就算不会，"咬丑小鸭的那只鸭子说，"他还是太大、太怪了。光是因为这点，就应该好好给他点颜色瞧瞧。"

"这位母亲，"一只老母鸭说，"他实在出落得不怎么样。真是遗憾，你没法把他重新孵化一遍。"

"可是木已成舟。"鸭妈妈说，"他虽然长得谈不上英俊，但他游起泳来，跟其他小鸭子一样出色。"她撸了撸丑小鸭的脖子，然后用嘴巴理了理他的羽毛。"我觉得他会茁壮成长，我相信他将来一定会有所作为的。"

"他长得太大了。"他们都这么说。可怜的丑小鸭感到难过极了，因为他已经丑得无可救药了。

大家都来追啄和推搡丑小鸭，就连他自己的兄弟姐妹，也参与了辱骂。"噢，"他们总是这么说，"你这个丑东西。"鸭子们咬他，母鸡们啄他，饲养他们的姑娘则用脚踢他。

于是他逃跑了。他飞过藩篱，灌木丛里的小鸟们纷纷被惊起。他不停地跑啊跑，一直到跑到一片大沼泽地。那里住着很多野鸭。他在那儿过了一晚，疲倦不堪，灰心丧气。

到了早晨，野鸭们纷纷飞过来打量他。"你是什么动物啊？"野鸭们这么问道，"你真是丑得吓人。不过这对我们而言倒也不打紧，反正你也不可能成为我们家族的一员。"

可怜的丑小鸭！他根本就没敢有过这种念头啊。他所想的，充其量也就是希望他们能允许他在芦苇丛里休憩一下，让他在沼泽里喝一小口水罢了。

砰！砰！这时空中响起枪声，有人正在进行狩猎。猎人们埋伏在沼泽周围，猎狗

们从沼泽涉水而过。这把可怜的丑小鸭给吓坏了。就在这时，一只可怕的大狗出现在了他的右侧。然而它并没有对丑小鸭下手。

"我实在太丑了，"丑小鸭感叹道，"丑得连猎狗都不愿来咬我。"

他逃出沼泽地，穿过田野，又穿过草场。他不停地奋力迈着脚步。

入夜后，他来到一处破破烂烂的小屋。

屋内住着一位老婆婆，还住着她的猫和母鸡。猫会弓起身子，发出咕噜咕噜的声音。母鸡则长着一对小短腿，她下的蛋很不赖。

他们立刻注意到了丑小鸭。猫发出咕噜咕噜的声音，母鸡则咯咯地叫了起来。

"来得正好，"老婆婆说，"这下我能有鸭蛋了。"不过丑小鸭连一只蛋也没下出来。

他坐在角落里，感到前所未有的沮丧。他开始想念新鲜的空气和阳光。想要去水里游泳的渴望，占据着他的身心。于是他告诉了母鸡。

"你到底在胡闹些什么啊？"母鸡嚷道，"你整天无所事事，所以才会冒出那种傻不拉几的念头。"

"可是，浮在水上的感觉，是多么清爽舒适啊。"丑小鸭说，"潜入水底，让河水没过你的头顶，那种感觉也是多么清爽舒适啊。"

"是啊，肯定爽得要死！"母鸡说，"我觉得你八成是疯了。你去问问猫，他是

我认识的人里面最聪明的，你问问他是不是喜欢游泳，是不是喜欢潜到水下去。"

"你们不懂我。"丑小鸭说。

"哟嗬，如果我们都不懂，那还有谁懂啊？你总不至于自以为比猫还要聪明吧——我还没提我自己呢。千万别自以为是啊，小朋友。好好感谢造物主吧，感谢他让仁慈友善的我们出现在你面前。你进了一间温暖舒适的屋子，还遇见了能开导你的人，可是你这个蠢蛋竟然还不知足。当务之急，是一定要下出蛋来呀。那才是正事儿啊。"

"我觉得我还是到外面的世界去比较好。"丑小鸭说。

"随你的便吧。"母鸡说。

就这样，丑小鸭又离开了。可是他仍然遭受着所有动物的蔑视，只因为他长得丑。


秋天来了，森林里的叶子变成了黄褐色。风将它们摘下，然后吹得四处飞舞。天空看上去冷冰冰的，云层夹带着雪与冰雹，显得低垂而浓重。

这天晚上，太阳刚从霞光中隐没，一大群鸟便在芦苇丛一带现身了。他们全都长得又高大又漂亮。丑小鸭从未见过这么美丽的鸟儿。他们长着白得耀目的羽毛，有着修长而优雅的脖颈。他们就是天鹅。噢！他们简直令他难以忘怀。


冬季来临，天气愈来愈冷。暖阳重现的时候，丑小鸭还活着，他仍在沼泽地的芦苇丛里。这时百灵鸟再度歌唱起来。春天已经来了。

忽然之间，丑小鸭展开了翅膀。双翼划过空气的时候，似乎变得比以前更为有力了。它们变得如此强健，它们挥舞起来，带着他飞向远方。他尚未反应过来，就发现自己已经飞到了一片美丽的花园。那里的苹果树上绽放着花朵。丁香花在空气中散发着甜蜜的香味。噢，这里真是太美了，一切都沐浴在明媚的春光里！

眼前的丛林里，出现了三只天鹅。他们竖起羽毛，轻盈地游过溪流。

"我好想飞去那些高贵的鸟儿身边，可是他们会把我啄成碎片。我是如此丑陋，怎么敢接近他们。然而我已不在乎死亡。与其被那些鸭子咬，被母鸡啄，被饲养他们

的姑娘踢，与其在严冬中遭受痛苦的折磨，我宁愿选择高贵的死亡。"

于是他扑进水里，朝那些绝美的天鹅游去。天鹅们看见了他，也立刻飞了过来。他们的羽毛竖起，发出沙沙的声响。可怜的丑小鸭弯下脑袋，面朝水面，等待着死亡。但，水里的那是什么？那明净的溪水里，倒映出的是什么？他注视着自己的倒影，那已不再是一只蠢乎乎、脏兮兮、灰头土脸的鸟儿，不再是丑陋不堪、令人讨厌的模样了。他，原来是一只天鹅！

他感到快乐极了，他承受了那么多磨难，历经了那么多不幸，直至此刻他才彻底明白，自己其实是多么幸运，又是多么的美丽啊。那些高贵的天鹅游在他的周围，纷纷用嘴巴轻轻亲吻着他。

他感到那么幸福，但是他一点儿也不骄傲。一颗善良的心，永远也不会变得骄傲。阳光是如此的温煦，如此的暖人心脾。他振动翅膀，羽毛飒飒作响，他伸出纤细的脖颈，把内心最深处的声音呼喊了出来："当我还是丑小鸭的时候，从来就没有想过，自己也会拥有这种满满的幸福。"

# 手捧空花盆的孩子

赵华昌 著

很久很久以前，在一个国家里，有一个贤明而受人爱戴的国王。但是，他的年纪已经很大了。而且年迈的国王没有一个孩子。这件心事，使他很伤脑筋。有一天，国王想出了一个办法，说："我要亲自在全国挑选一个诚实的孩子，收为我的义子。"他吩咐发给每一个孩子一些花种子，并宣布："如果谁能用这些种子培育出最美丽的花朵，那么，那个孩子便是我的继承人。"

所有的孩子都种下了那些花种子，他们从早到晚，浇水、施肥、松土，护理得非常精心。

有个名叫雄日的男孩，他也整天用心培育花种。但是，十天过去了，半月过去了，一月过去了，花盆里的种子依然如故，不见发芽。

"真奇怪！"雄日有些纳闷。最后，他去问他的母亲："妈妈，为什么我种的花不出芽呢？"

母亲同样为此事操心，她说："你把花盆里的土换一换，看行不行。"

雄日依照妈妈的意见，在新的土壤里播下了那些种子，但是它们仍不发芽。

国王决定观花的日子来到了。无数个穿着漂亮服装的孩子们涌上街头，他们各自捧着盛开着鲜花的花盆，每个人都想成为继承王位的太子。但是，不知为什么，当国

王环视花朵，从一个个孩子面前走过时，他的脸上没有一丝高兴的影子。

忽然，在一个店铺旁，国王看见了正在流泪的雄日，这个孩子端着空花盆站在那里。国王把他叫到自己的跟前，问道："你为什么端着空花盆呢？"

雄日抽泣着，他把他如何种花，但花种子又长期不萌芽的经过告诉国王，并说，这可能是报应，因为他在别人的果园里偷摘过一个苹果。

国王听了雄日的回答，高兴地拉着他的双手，大声地说："这就是我的忠实的儿子！"

"为什么您选择了一个端着空花盆的孩子来继承王位呢？"

于是，国王说："子民们，我发给你们的花种子都是煮熟了的种子。"

# 狼和七只小山羊

[德国]格林 著　文泽尔 译

　　从前有一只老山羊，诞下了七只小山羊。老山羊十分宠爱这些小山羊。

　　有一天，老山羊打算到森林里去取些草料回来，离开之前，她把七个孩子全部招呼到身边，对孩子们说道："亲爱的孩子们，我要出门，到森林里去。你们独自在家时，一定要提防狼。如果狼进来了，会把你们连皮带毛，全部吞吃得干干净净。狼是个很坏的家伙，常常乔装打扮，换成别的面貌出现。不过呢，你们一旦听到他那沙哑的嗓音，看到他黑乎乎的爪子，马上就能认出他来。"

　　小山羊们回应道："亲爱的妈妈，我们会小心提防狼。你不用担心，出门去吧。"

　　听到孩子们的回答，老山羊咩咩叫了两声，安心出门了。

　　老山羊走后没多久，有人过来敲了敲房门，并且大声喊道：

　　"开门，可爱的孩子们，妈妈在这儿，给你们每个人都带来了些好东西。"

　　不过，小山羊们一听到这沙哑的嗓音，马上就知道，说话的其实是狼。

　　"我们不开门，"他们大声回应道，"你才不是我们的妈妈。我们的妈妈说话声

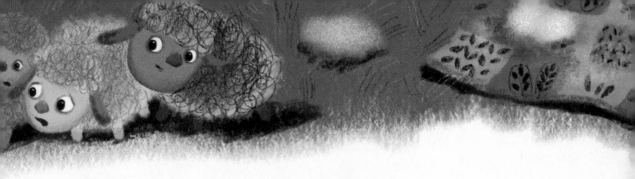

音细腻又亲切，而你，你的嗓音沙哑得很。你明明是狼。"

没办法，狼跑到杂货商那里，买了一大块观音土，吃了下去——他的嗓音，因此变得细腻了。昨晚这件事后，狼又回到山羊家，一边敲门，一边大声喊道："开门，可爱的孩子们，妈妈在这儿，给你们每个人都带了些好东西。"

不过，狼刚把自己黑乎乎的爪子摁在窗玻璃上，小山羊们一看到那黑爪子，马上异口同声道："我们不开门。我们的妈妈才不长这种黑乎乎的爪子。你明明是狼。"

没办法，狼跑到面包师那里，对他说道："我的脚给崴了，给我拿个面团过来，揉搓一下，止止痛。"等到面包师用面团给狼揉搓过半天后，他又跑到磨坊主那里，对他说道："给我的脚上洒些白面粉吧。"

磨坊主心里想着："狼这是要去骗人了。"

他拒绝了狼的要求，狼却恶狠狠地对他说道："如果你不照我说的话去做，我就把你给一口吞了。"磨坊主怕得要命，只好把狼的爪子给弄成了白色。之后，这个坏家伙第三次跑去山羊家，敲了敲门，开口说道："开门，孩子们，你们亲爱的妈妈回来了。不只回来，还从那森林里，给你们每个人都带了些好东西回来呢！"

小山羊们喊道："先给我们瞧瞧你的脚吧，这样我们才知道，你是不是真是我们亲爱的妈妈。"于是，狼就把爪子伸到了窗户里面。当小山羊们看见爪子是白色的以后，就相信了狼说的话都是真的，打开了大门。

但是，进来的却不是老山羊，而是狼。小山羊们吓了一跳，想要藏起来：第一只跳到了桌子底下，第二只上了床，第三只躲进炉子里，第四只跑去厨房，第五只藏柜子里，第六只窝到洗脸盆下面，第七只去了挂钟的木壳子里面。然而，狼却把他们统统找了出来，二话不说，就把小山羊们一个接一个地吞到了肚子里。只有躲在挂钟木壳子里面的、那只年龄最小的山羊，没有被狼找到。

　　没多久之后，老山羊从森林里回来了。她四处寻找孩子们，却哪儿都找不到。她一个接一个地呼唤孩子们的名字。最后，当老山羊喊到年纪最小的那只小山羊的名字时，一个纤细的声音从某处回应道："亲爱的妈妈，我藏在挂钟的木壳子里了。"

　　妈妈把这唯一幸存的孩子从木壳子里抱了出来。孩子告诉妈妈，狼刚才来过了，把除了他之外的全部小山羊都给吞了下去。老山羊哀嚎着，从屋子里走了出去，那只年纪最小的小山羊也紧紧跟在后面。他们来到一片草地，那只狼正躺在大树下面睡觉，鼾声如雷，连树上的树枝都跟着那鼾声抖动不停。

　　老山羊前前后后地观察这匹睡着的狼，发现那填饱了的肚子里面，有些什么东西正在动个不停。"欸，上帝啊，"老山羊心想，"我那些被狼吞下肚子当晚饭的可怜孩子们，难不成还活着？"

　　于是，老山羊让那只年纪最小的小山羊跑回家，取来剪刀、尖针和棉线。然后，老山羊一剪刀划开了那巨兽的大肚子。第一刀都还没剪完呢，已经有一只小山羊把头给探了出来。老山羊继续剪下去，一共六只小山羊，一只接一只地蹦了出来，大家都还活得好好的，毫发无伤。因为，那只巨兽是把他们整只整只地囫囵吞下的。

　　这可真是件令人感到高兴的事儿！小山羊们紧紧拥抱自己亲爱的妈妈，但羊妈妈

并没有高兴得失去理智，她对自己的孩子们说道："趁现在，快点行动起来，去搬些石头来。我们要赶在这渎神的恶兽还在睡觉时，重新把他的肚子填满。"

七只小山羊赶紧扛过来一大堆石头，拼命地往狼肚子里塞，能塞多少就塞多少。然后，老山羊用最快的速度，又把狼肚子按照原样给缝好了。

等到那匹狼终于睡饱了觉之后，他就伸了个懒腰，站直了身体。他想要走到一口水井旁边，痛快地喝一些水。可是，当狼开始迈开双腿走路时，肚子里面的石头便互相推挤碰撞，咔哒作响。狼吃了一惊，大声叫嚷道："我的肚子里面是什么在骨碌响动？照我看来，应该是六只小山羊吧，可这感觉，倒更像是些玄武岩石头。"

狼走到井边后，便弯下腰去喝水。可那些重得要命的石头，却把他直接压进了井里。狼惨兮兮地被淹死了。七只小山羊看到这一幕后，全部围拢了过来，异口同声地欢呼道："狼死了！狼死了！"

然后，便跟他们的妈妈一道，绕着水井，兴高采烈地跳起了舞。

# 不莱梅的乐师们

[德国]格林 著　文泽尔 译

　　很久以前，有个男人养了头驴。这头驴每天都要驮着一袋袋的谷物去磨坊，如此坚持了许多年，无尤无悔，任劳任怨；可是，现在他已经老了，力气大不如前，没有办法再像原来那么拼命了。因此，他的主人觉得，是时候把它给处理掉了。聪明的驴子觉察到了这点，对此感到既伤心，又无奈，只好趁主人没留意时，离家远行，希望能够找到去不莱梅的方法——他做梦都想要成为一名不莱梅的乐师。

　　走了不多远，驴子偶遇一只趴在路上的猎犬：他一直喘个不停，仿佛刚刚跑了几十里路似的。"请问，你为什么喘得这么厉害啊，我的猎手朋友？"驴子停下来问他。"噢，你看嘛，因为我年纪大了，身体一天不如一天，"猎犬向驴子解释道，"已经不能像过去一样，想跑多远就跑多远了。主人认为我已经没有用了，就想把我给杀掉。出于无奈，我只好离家远行。不过，除了当一只猎犬，协助狩猎之外，我根本不知道自己还有什么其他谋生的办法。"

　　"好吧，我来教你该怎么办。"驴子宽慰他道，"我正要到不莱梅去，去那儿当个音乐家。你不妨跟我一起来，也加入乐队——我来弹鲁特琴，你可以负责打鼓。"猎狗对这个建议赞不绝口，马上就加入了驴子的乐队。

　　同行了没多大一会儿，他们看见一只猫正坐在路沿上，那表情看上去，就好像是连着淋了三天的暴风雨。"天天捻自己胡须的老家伙，遇到什么麻烦了么？看你那样子，好像不太高兴啊。"驴子问。

　　"命运之手扼住喉咙、整个人命悬一线的时候，谁还能表现出一副兴高采烈的样子来？"猫回应道，"我不高兴，是因为自己上了年纪，连嘴里的牙都变钝了！相比追捕、杀戮那些老鼠，我倒更愿意在壁炉边躺着打呼噜。就是这样，完完全全不中用了。养我的那位小姐打算淹死我，我当然是脚底抹油，逃之夭夭。此时此刻，我根本不知道未来应该怎样过活。你们两个，有什么好去处么？"

"跟我们一起去不莱梅吧。你知道怎么唱小夜曲，完全够资格成为一位城镇音乐家。"听了驴子的话，猫觉得这是个不错的主意，就跟他们同行了。又走了一段之后，三人来到一处农家大院前。有扇门上站着一只公鸡，正在使着劲儿鸣叫。"你这歌唱的，可真让听的人感到灵魂震颤啊。"驴子感慨道，"不过，唱的内容都是些什么呢？"

"我正在预报天气。"公鸡说，"今天是咱家女主人洗衣服的好日子，她会把所有衣服都洗干净，再一件一件晾晒出去。可是，明天就是星期天了，有好多客人要来。咱家女主人跟女厨子交代过，明天要拿我来炖汤，所以，今晚就会把我的脑袋给剁掉！啊，我要一直不停地叫啊，叫啊，一直叫到我生命的最后一刻！"

"哎，听我说，你这红冠的家伙。"驴子对公鸡说，"要不，你干脆跟我们一起走，到不莱梅去吧。无论如何，都比在这儿等死要好得多。你的嗓音真是美妙动听，如果我们四个一块儿搞音乐的话，魅力简直无人可当。"

公鸡接受了驴子的邀请。四个伙伴便一起走了。到了傍晚，他们决定在森林里临时找个避风遮雨的地方，好好休息休息。最终，驴子和猎犬躺在了一棵大树下面，猫爬到树上，歇在树枝上，公鸡则直接飞到了树顶——他觉得那儿是最安全的。过了一小会儿，他又飞了下来，告诉大家他在高处得到的信息——在睡觉之前，他习惯性地观察了一下四周，从北到南，自东向西。就这么一张望间，公鸡确定不远处有一座屋子，因为他看见屋里明亮的光，从窗子里透了出来。

"既然这样，我们就去那边问问吧。"驴子说，"无论怎么样，总比待在这儿过夜要好。"狗在心里想着，那边没准也会有些带点儿肉渣的骨头，可以给他啃上一啃。所以，也觉得驴子提出的是个好建议。

就这样，四个伙伴开始向着公鸡所指的灯光方向前进。走了不一会儿，他们就都看见了那灯光。随着他们越走越近，开始的一小片光点，慢慢也越变越大，越变越亮。最后，他们来到了一座灯火通明的强盗小屋前面。因为驴子是四个中长得最高大的，大家便派他到窗子旁边，偷偷查探屋子里的情况。

"看到些什么了啊，灰脸哥哥？"公鸡问道。

"你问我看到了什么？"驴子答道，"我看到一桌子的佳肴盛宴、美酒陈酿。强盗们围桌而坐，个个都在鲸吞海喝，虎咽狼嚼。"

"唉，要是坐在那儿的是我们就好了！"公鸡感慨道。

"没错，没错，哎呀呀，要是我们坐在那儿就好了！"驴子说。

于是，为了把强盗们赶开，四个人开始商量起对策来。推敲半天之后，他们终于定下了一个计划：先让驴子站在窗边，前脚搭在窗台上，然后，狗再跳到驴子的背上，猫爬到狗身上，最后由公鸡振翅一跃，跳到猫脑袋上。各就各位之后，约定一个信号，一同开始奏乐。于是，他们就照着计划做了。依次站好后，驴子说了声"开始"，四个伙伴一齐用最大的力量，全力歌唱：一时间驴子嘶鸣，猎犬狂吠，老猫喵呜，公鸡打鸣。唱完一曲之后，他们全部从窗子跳了进去，打碎了整块玻璃，弄出了很大的噪音。

　　强盗们以为是哪里的鬼怪闯进来了，吓得四散奔逃，全都逃到了森林里，一会儿就跑得没影儿了。眼见坏人们被赶走了，四位乐师开开心心地围着桌子坐下，开始大口吃起强盗们剩下的食物来，那饥不择食的样子，就好像一连饿了四个礼拜似的。

　　吃饱喝足之后，他们把灯灭掉，开始择地方歇息了。每个伙伴都找到了适合自己习性的好去处：驴子躺在屋子外面的肥料堆旁，猎犬蜷缩在门后面，猫儿趴在壁炉旁边暖和的煤灰旁，公鸡则歇在了屋顶的房梁上。毕竟赶了一整天路，他们都觉得十分倦怠，不一会儿就睡着了。

　　临近午夜时分，之前被乐师吓走的强盗们，躲在远处暗中观察，发现屋子里的灯熄灭了，也没什么响动。强盗首领便对手下说道：

　　"我们真不应该就那样随随便便落荒而逃的。"

　　首领派了一个手下返回屋子里，让他搞清楚里面到底是怎么回事。被派出去的这个人，站在小屋门口，仔细聆听屋里的动静，却什么声音都没听见，于是，便蹑手蹑脚地进了厨房，打算点个火，借个光。然而，他误把猫那对如火焰般闪闪发亮的眼睛当成了壁炉里尚有余烬的煤块，便随手摸出一根火柴来，希望能够把炉火再次点燃。

　　不过，猫哪是那么好惹的。他一蹿而起，扑到强盗的脸上，好一阵抓挠。

　　强盗吓得丢了魂，想赶紧从后门逃出去。可是，门后面躺着的猎犬突然跳起来，在强盗腿上狠狠咬了一口。转眼之间，强盗逃到了院子里。当他跑过肥料堆时，驴子用后腿死命一蹬，踹在了他的屁股上。与此同时，各种各样的噪音，弄醒了睡在屋顶上的公鸡，他条件反射般地打起鸣来：

　　"叽——咯——哩——咯——！"

　　强盗嚎叫着，声音大到不能再大。他连滚带爬、跌跌撞撞地跑了好半天，回到强盗首领那儿，向他报告："哎呀呀，那屋子里面坐着一个十分恐怖的女巫，她用长长的尖指甲，把我脸上划得血痕道道。门后面躲着个带刀的男人，狠狠地在我腿上刺了一家伙。院子里站着个黑乎乎的大怪物，举起狼牙棒，死命给我来了一下子。屋顶上竟然还坐着个法官，他在上面怒吼着：'给我把犯人带上来！'我怕得不行，拼了命才逃回来。"

　　自那晚以后，强盗们再也不敢回那座小屋了。四个不莱梅的乐师很喜欢这座小屋，就一直住在那儿！

# 啊呜啊呜吃面包

[日本]小泽正 著　安伟邦 译

嘟嘟，嘟嘟，活蹦乱跳玩着的小猪胖助，肚子饿了。嘟嘟，嘟嘟，他跑到妈妈那儿去要点心吃。

妈妈正在吱吱地织毛线。

"胖助，你来得正好。帮妈妈缠毛线吧。"

"可我肚子饿得扁扁的呀。"

"那，你到狐狸面包店去买面包吧，吃完面包再来帮忙。"

"是——"

胖助赶紧嘟嘟，嘟嘟，向狐狸面包店跑去。

这狐狸面包店有点怪。不卖巧克力面包，也不卖奶油面包。什么果酱面包、咖喱面包、鸡蛋面包，全不卖。

他卖的是：猪模样的"猪面包"。

兔子模样的"兔子面包"。

大象面包、老虎面包、骆驼面包、狮子面包，还有大猩猩面包……各种各样动物形状的面包。

"唉，唉，一个猪面包，够吗？"

"嗯。"

胖助刚要点头，忽然，又想了一会儿。

妈妈领胖助买面包，每次都说："胖助是猪，所以应该吃猪面包。"妈妈光买猪面包。胖助还一次也没吃过别的面包呢。

可是，兔子面包、老虎面包，好像和猪面包一样好吃。胖助说：

"今天不买猪面包。给我拿兔子面包吧。"

"咦，你是猪，还要吃什么兔子面包吗？"

顾客说的话，就得听，没办法，狐狸往袋子里装进一个兔子面包。

啊，这兔子面包，到底是什么味儿呢？嘟嘟，嘟嘟，嘟嘟，往家跑的时候，胖助忍不住，啊呜吃了一口。

呀，真好吃……啊呜，一口，再一口，最后，整个面包都啊呜、啊呜、啊呜吃完了。

刚吃完，胖助啪地变成兔子。

"咦咦——？"

胖助吓一跳。变成兔子，生下来还是头一回。他高兴啊，高兴得受不了，那儿蹦蹦，这儿跳跳，又蹦又跳地回到家。

"妈妈，我回来啦！"

"咦，咦，谁是你妈妈？小兔，你弄错家了吧？"

"我没弄错呀。"

"哦，你是找胖助玩的吧？"妈妈笑眯眯地说。

"胖助买面包去啦，马上就回来。在这以前，你帮我缠毛线吧。"

变成小兔的胖助，往长耳朵上套毛线。

"胖助回来得可真晚，准是在哪儿玩哪。"

咕噜咕噜地缠毛线，妈妈这样说。

胖助觉得真好笑，差一点嘻嘻笑出声来。

这时候，毛线好容易缠完了。

"小兔，你辛苦了。给你帮忙钱，你也去买面包吧。"

"是——"

蹦蹦，蹦蹦，胖助跑到狐狸面包店："叔叔，给我拿面包。"

"唉，唉，一个兔子面包，怎么样？"

"不对呀，叔叔。不是兔子面包，是一个猪面包。"

"咦？呀！怎么回事？猪来买兔子面包，兔子来买猪面包，今天真是怪日子。"

狐狸叔叔眨着眼睛，往袋子里装进一个猪面包。

蹦蹦，蹦蹦，来到半路，胖助把猪面包啊呜，啊呜……果然，跟自己想的一样，他又啪地恢复了猪模样。

吃了兔子面包变成兔子，吃了大象面包就该变成大象，吃了狮子面包就该变成狮子。

要是吃了老虎面包，去帮忙缠毛线，妈妈会吓成什么样子呢？

这么一想，胖助觉得好笑哇好笑，他嘻嘻、嘻嘻地笑着跑回家去了。

# 小红帽

[德国]格林 著　文泽尔 译

　　很久很久以前，有个人见人爱的小女孩。每个人都很喜欢她，不过最爱她的，还是她的外婆——这位老人家，恨不得把自己所有最好的东西，全都给她。外婆曾经送过她一顶用红色天鹅绒缝制的小帽子，这顶帽子戴在女孩头上，格外合衬，于是，她就成天成天地戴着这顶帽子，别的什么都不愿戴。久而久之，别人就都管她叫"小红帽"了。

　　有一天，妈妈对她说："过来，小红帽，这儿有块蛋糕，还有瓶葡萄酒，我希望你能够把这些给外婆送去。你知道，外婆现在病了，身体很虚弱，吃了这些，多少能够恢复些精神。现在，趁着天还不太热，赶紧出门。路上千万要小心，不许离开大路，四处乱走。如果你在林间摔了一跤，打碎了酒瓶，弄翻了蛋糕，就没有东西能给外婆了。进了屋子以后，别忘了跟外婆说'早上好，外婆！'也不许东瞧西看。"

　　"放心放心，我会把事情都办妥的。"小红帽对母亲举手发誓，做了保证。

　　外婆独自住在大森林里，从村子这边走路过去，需要半个小时。小红帽才刚在森林里走了一小会儿，就遇到了一只野狼。天真的小红帽，并不知道狼是种很坏的动物，所以也并不怕他。

　　"早上好呀，小红帽！"野狼开口对她说道。

　　"谢谢您，狼先生，也祝您早晨愉快。"

　　"小红帽，你这么早出门，是要到哪儿去呀？"

　　"去外婆家。"

"你的篮子里，装了些什么呢？"

"蛋糕和葡萄酒。蛋糕是我们昨天才烤的。生病又虚弱的外婆，吃了这些之后，多少会有些帮助，身体也会很快好起来。"

"小红帽，你外婆住在哪儿呀？"

"大概还要在森林里走个一刻钟，走到三棵大橡树前面，她的屋子就在那儿，屋檐下面围着一圈核桃树篱墙。你肯定知道那个地方。"小红帽答道。

就这样，野狼和小红帽同行了一会儿，然后，他开口对小红帽说道："小红帽，看看那边那些美丽的花儿，就是那边树下长着的那圈……你为什么不走近些，亲眼去看看呢？哎，此刻置身森林深处，是多么美妙啊！"

小红帽睁大眼睛，朝着野狼指的方向看去。她看到一束一束的阳光在林间跳跃，林中的每一个角落，都开满了五彩缤纷的花。于是，小红帽不由得想道："如果我能带一把新摘的花束给外婆，她拿到之后，肯定会很开心的。何况，现在天还很早。"

暗自决定之后，她便离开了大路，跑进了森林里，开始寻找适合做花束的野花。小红帽不知不觉地遁入了林间深处，离大路越来越远了。趁着小红帽摘花的工夫，野狼以最快的速度赶到了外婆家，敲响了房门。

"来的是谁呀？"

"是我，小红帽。我给您拿了些蛋糕和葡萄酒过来。开开门吧！"

"你自己把门闩压一下吧。"外婆说，"我现在实在是太虚弱了，没办法从床上爬起来。"野狼压了一下门闩，门开了。他走了进去，一句话不多说，蹿到外婆床边，把外婆一口给吞了下去。做完这一切后，野狼穿上外婆的衣服，把她的睡帽戴在自己头上，躺到了外婆的床上，并把窗帘拉得紧紧的。

此时，小红帽采了很多花，折返回大路。到了外婆家之后，她感到很奇怪，因为房门是开着的，走进屋子里，给人的感觉也很古怪。小红帽心想："唉，我的天哪，

为什么今天进到这房子里，会觉得如此心神不宁呢？一直以来，我可都是很喜欢待在外婆家的。"

她大声喊道："早上好，外婆！"却没有得到任何回应。

于是，小红帽来到外婆床边，把所有窗帘都拉开了。她看到自己的外婆躺在床上，睡帽檐拉得低低的，遮住大半张脸，样子十分奇怪、陌生。

"哎，外婆呀，你的耳朵可真大啊！"

"这样才方便听你说话啊。"

"外婆，你的眼睛也好大啊！"

"这样才方便把你看清啊。"

"外婆，你的双手也好大啊！"

"这样才方便紧紧抱你啊。"

"还有，外婆，你的嘴巴怎么那么大，大得好吓人啊！"

"这样才方便吃掉你呀！"

填饱肚子的野狼，重新爬回床上，转眼便睡熟了，鼾声惊天动地。

就在这时，有位猎人恰巧从屋外经过。猎人走进屋子，来到床前，看见野狼躺在那里。"这匹无恶不作的野狼，竟然在这里。"猎人说道，"我找你可找了好长时间。"

猎人想到这匹野狼很可能把外婆给吞了下去，现在可能还有机会把她给救出来，就把枪放到了一边，转而取来一把剪刀，把野狼那明显鼓鼓囊囊的肚皮给剪开。才剪了几刀，他就已经看见了小红帽那顶红天鹅绒制的帽子，又剪了几刀之后，女孩便从野狼的肚子里跳了出来。接下来，外婆也活着从野狼肚子里爬了出来——她几乎要喘不上气了。小红帽赶紧捡了一大堆很重的石头回来。他们一起用这堆大石头填满了野狼的肚子。野狼醒过来之后，想要从床上一下子蹦起来，但他肚子里的石头实在是太重了。野狼马上就倒在地上，一命呜呼了。

# 蚂蚁与麦粒

[意大利]达·芬奇 著　张复生 译

夏季到了，长长的白昼令人陶醉。庄稼人忙着收割，把麦子堆满仓。

收割后，一颗麦粒掉在地上。这时，麦粒对自己说：

"下雨时，我就躲在土块下。伟大的未来，肯定正等待着我。我真幸运……"

不过，蚂蚁发现了麦粒。它乐得睁大了眼睛。

"我的运气真好，它可以增加我的粮食储备！"

蚂蚁背起麦粒，气喘吁吁地向远方蚁窝走去。

走啊，走啊，蚂蚁觉得背上的麦粒越来越重。

"为什么你不放开我？"麦粒问。

蚂蚁回答：

"我向你保证，绝不可能放了你。把你放了，冬天我们就没有储备粮了。我们蚂蚁就是这样，每个人都要把遇到的食品背回来。虽然放了你，我就可以休息！你呀，真把我弄得精疲力竭了……"

"你瞧，好蚂蚁，我不是让人吃的麦子，我是有生命的种子，命中注定要变成一棵庄稼。我们不能好好商量达成一个协议吗？"

蚂蚁很想休息片刻，它把种子放在地上，问：

"什么协议？"

"如果你把我放在这儿，放在田野上，"麦粒解释着，"也就是说，你放弃把我背到蚂蚁窝的打算，那么，在一年之内，我要给你一百颗像我这样漂亮的麦粒。"

蚂蚁半信半疑地望着它。

"我不知道该不该答应……"

"我向你保证，敬爱的蚂蚁，请你相信我和我讲的话。如果今天你放了我，我给你一百颗像我这样的麦粒。我要送到你的窝里，一百颗麦粒！"

蚂蚁想：

"一百颗换一颗！这可像精彩的魔术！"

接着，它问麦粒：

"告诉我，你怎样办到？"

"这是个谜，"麦粒回答，"是生命之谜。你挖个小坑，把我埋在土里，一年后你再来。"

蚂蚁同意了麦粒的请求。并根据它的意愿，做了该做的一切。十二个月后，一天下午，蚂蚁又回到老地方。

麦粒实现了诺言，用一百颗换了一颗。这样，所有的蚂蚁都有了储备粮，安然地度过了漫长的冬天。

# 野莴苣

[德国] 格林 著　文泽尔 译

很久以前，有一对夫妇，十分渴望能够拥有一个属于他们自己的孩子，然而天意弄人，他们一直都没能怀上宝宝，但仍旧每日虔心祈祷。终于，上帝为二人的诚心所动，满足了他们的祈愿，让妻子怀上了孩子。

他们家屋子的墙上，有一扇小窗户，从窗口看出去，能够见到一座美丽缤纷的花园，里面种满了这世间最漂亮的花卉和草药。但是，花园外面竖着一圈高墙，没有人敢擅自走进去，因为这整个花园，都是一位法力强大的女巫的私有财产，每个人都怕她。

有一天，妻子碰巧站在窗口那儿向外张望，无意之中，看到花园中有一片田地，这片田地里种着世上最好的野莴苣，让她忍不住想要尝一尝。日子一天一天过去，妻子想吃莴苣的渴望与日俱增。不过，她心里很清楚，自己无论如何都没办法得到哪怕一株这种野莴苣，久而久之，竟为此落下心病，卧床不起了。

丈夫为她的状况担心，问她道："亲爱的妻子啊，你究竟是怎么了？"

"唉，"妻子答道，"如果我没办法吃到屋后女巫花园里种着的野莴苣的话，我肯定会死的。"丈夫深深爱着妻子，心里不觉想："与其看着她这样煎熬死去，倒不如潜进那花园里去，偷采些野莴苣得了。"

于是，夜幕降临之后，丈夫便偷偷翻过那道高墙，潜入到女巫的花园里，摘了满满一把野莴苣之后，便飞快地逃走了。丈夫把偷来的野莴苣交给妻子，她马上用最快的速度把莴苣做成了沙拉，大快朵颐。

野莴苣的味道实在是好极了，令人魂牵梦萦。第二天，妻子对它的渴望不仅没有消减，反而变成了昨天的三倍。为了让她的欲念平息，丈夫不得不再次铤而走险，前

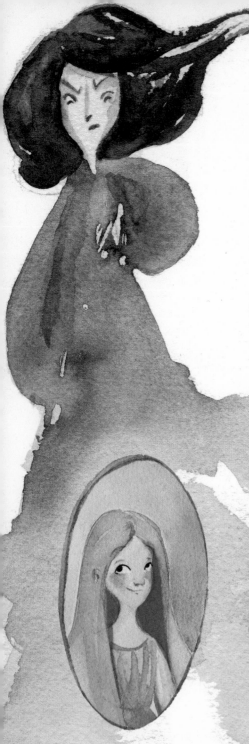

往花园。夜幕降临之后，他再一次翻过那道高墙。然而，当他从墙上下来，转身，准备走向那片野莴苣地时，却着实吃了一惊：那个传说中的女巫，现在就站在他眼前。"你竟然胆敢这样做，"女巫怒视着他，说道，"爬到我的花园里，盗摘我种的野莴苣？你必须为此付出代价！"

"唉，"丈夫回应道，"请可怜可怜我，宽恕我的罪过，我是有苦衷的。我的妻子，她从我们所住小屋的窗子里，看到了你花园里的野莴苣，想吃得不得了。她说，如果没办法吃到这些莴苣，她可能会马上死掉。"

女巫对他说道："好吧，如果情况是这样的话，你就随便来摘吧，这里的野莴苣，你想要多少就摘多少，任君取用。不过，我却有个条件：你妻子怀的那个孩子，在生下来之后，必须给我。我会让孩子过得很好，像一个母亲那样照顾它。"

出于恐惧，无论女巫提了什么要求，丈夫都答应了。妻子临产时，女巫便如约出现在她床前，给新诞生的孩子取名为野莴苣，然后就带着孩子，消失不见了。

野莴苣很快长大，变成了一个十分美丽的姑娘。野莴苣十二岁大时，女巫把她带到森林的最深处，关进了一座既没有门，也没有楼梯的高塔里，仅仅在高塔的最顶端，留有一个小窗口。当女巫想要进塔的时候，她就在塔下高喊："野莴苣，野莴苣，把你的头发放下来吧。"

野莴苣那一头秀美长发，根根金黄，就像最耀眼的金丝。每次听到女巫的喊声，她就把自己的头发解开，绕在窗口位置的一个挂钩上，放下去二十厄尔，而女巫，就顺着那头发爬上去，到达她的小屋里。

有一天，某个国王的儿子碰巧骑马从森林中穿过。当他骑到高塔附近时，突然听到高处传来一首优美动听的歌，王子不觉勒马驻足，安静聆听了起来。唱歌的正是野莴苣。王子想上高塔去找这位唱歌的姑娘，他绕了高塔一周，却压根儿找不到门。王子只好骑马回去，不过，那歌声早已经深深打动了他。从此以后，他每天都会外出，来到森林里，静静听她唱歌。就这样，直到有一次，王子站在一棵大树后面，听野莴苣唱歌时，看到有一个女巫走了过来。他听见女巫对着高塔喊道："野莴苣，野莴苣，把你的头发放下来吧。"

于是，野莴苣就把长发放了下来，女巫顺着头发爬了上去。

"如果这就是进塔要用的梯子，明天我也要来碰碰运气。"

隔天，当夜幕逐渐降临时，王子来到塔楼前，高声喊道：

"野莴苣，野莴苣，把你的头发放下来吧。"

头发应声放了下来，王子抓住头发，爬了上去。

野莴苣看到上来的是个男人时，完全被吓傻了。但是，当王子十分温柔地向她解释，说自己是如何被她的歌声迷住，意乱情迷，下决心要来见她时，她也就不再那么害怕了。野莴苣和王子约好，让他每天傍晚过来——因为老巫婆总是在白天来。

女巫一直都没有发现他们的秘密，直到有一天，野莴苣说漏了嘴："跟我说说，老巫婆，我用头发拉你上来的时候，怎么总感觉你比那个年轻王子要重呢？拉他的时候，可是很轻松就上来了。"

　　"哎呀，你这个渎神的孩子。"女巫喊道，"我差点以为自己听错了。还以为你真的是与世隔绝，没想到，你竟然欺骗了我！"

　　女巫火冒三丈，一下子抓过野苣的秀美金发，在自己的左手上绕了几圈，然后右手拿起剪刀，咔嚓一声，就把它给剪断了。美丽的长发落到了地上。女巫是个十分残忍无情的人，她把可怜的野苣抛弃到了一片荒漠之中。

　　在野苣被逐出高塔的那天傍晚，女巫把剪下来的长发，绑在窗口的挂钩上。王子跟往常一样，在高塔下高声喊道："野苣，野苣，把你的头发放下来吧。"

　　女巫把那股剪断了的头发甩下去，就跟野苣平日里做的一样。王子顺着头发爬了上去，然而，他在塔顶见到的，已经不是他所挚爱的野苣，而是女巫——她正用邪恶又阴毒的目光看着他。

"啊哈！"女巫对王子怒吼道，"你是来接你的心上人的，对吧？不过，美丽的鸟儿已经不会再在巢里歌唱了。野莴苣走了，你可明白？你再也见不到她了！"

惊闻噩耗，王子悲恸难受，恍惚之间，竟绝望地从高塔上跳了下去。王子掉进了一大片荆棘丛里，虽然保全了性命，荆棘却当场刺穿了他的双眼。就这样，王子在不幸和苦难的折磨下，度过了好几年的时光。终于，他来到了野莴苣所在的那片荒漠。野莴苣已经诞下了一对双胞胎，一儿一女。这时，王子突然听到一个熟悉的声音，他马上循声而往，蹒跚前行。走近之后，野莴苣立即认出了王子，赶紧迎了过去，搂住他的脖子，哭了起来。

野莴苣的两滴眼泪，滴进了王子被荆棘刺瞎的两只眼睛里，他瞬间就得以重见光明。王子又一次看见了他心爱的野莴苣。他带着自己的妻子和一对儿女，回到了自己的国家。在那里，他们受到了全民热烈的欢迎，幸福长久地生活在一起。

# 狐狸和猫

[德国]格林 著　文泽尔 译

　　猫在森林里偶遇狐狸先生，猫心想："狐狸很聪明，经历过很多事，在这世间也算是身经百战的了。"于是便很友好地对狐狸说："你好，亲爱的狐狸先生，你过得怎样？平时如何谋生？时局艰难，应该怎样生活才好？"

　　心高气傲的狐狸，把猫从头到脚打量了一番之后，想了好一会儿，都拿不准是否应该给它一个正经回答。最后，狐狸开口说道："噢，你这个穷困的胡须清洁工、五彩斑斓的傻子、成天忍饥挨饿的可怜虫，以及——老鼠猎人，你究竟是怎么想的？竟然觉得自己有资格问我过得怎么样？你都学了些什么？你懂得多少种本事呢？"

　　"我只有唯一的一样本事。"猫十分谦虚地回答道。

　　"那究竟是怎样的本事？"狐狸问猫。

　　"当狗在后面撵我的时候，我可以一下子跳到树上，救自己一命。"

　　"就这本事？"狐狸说，"我可是精通着上百种技艺，还有满脑子的锦囊妙计傍身。你真让我觉得凄惨又可怜，跟我走吧，我会教你怎么摆脱狗的追捕。"

　　刚好这时候，有个猎人带着四条猎犬过来了。猫身手矫健地跳到了一棵大树上，爬到树梢位置，坐了下来。树枝和树叶把它遮挡得严严实实。

　　"打开锦囊出妙计啊，狐狸先生，打开锦囊出妙计。"猫冲着狐狸喊道。

　　然而，那些猎犬已经将狐狸扑倒，牢牢逮住了。

　　"欸，狐狸先生，"猫继续喊着，"精通上百种技艺，还不是无从施展。如果你能像我一样爬上树，也不至于如此简单就丢了命啊。"

# 小马过河

彭文席 著

马棚里住着一匹老马和一匹小马。

有一天，老马对小马说："你已经长大了，能帮妈妈做点事吗？"小马连蹦带跳地说："怎么不能？我很愿意帮您做事。"老马高兴地说："那好哇，你把这半口袋麦子驮到磨坊去吧。"

小马驮起麦子，飞快地往磨坊跑去。跑着跑着，一条小河挡住了去路，河水哗哗地流着。小马为难了，心想：我能不能过去呢？如果妈妈在身边，问问她该怎么办，那多好哇！

他向四周望望，看见一头老牛在河边吃草。小马嗒嗒嗒跑过去，问道："牛伯伯，请您告诉我，这条河，我能蹚过去吗？"老牛说："水很浅，刚没小腿，能蹚过去。"

小马听了老牛的话，立刻跑到河边，准备蹚过去。突然，从树上跳下一只松鼠，拦住他大叫："小马，别过河，别过河，河水会淹死你的！"小马吃惊地问："水很深吗？"松鼠认真地说："深得很呢！昨天，我的一个伙伴就是掉进这条河里淹死的！"

小马连忙收住脚步，不知道怎么办才好。他叹了口气，说："唉！还是回家问问妈妈吧！"

小马甩甩尾巴，跑回家去。妈妈问："怎么回来啦？"小马难为情地说："一条河挡住了，我……我过不去。"妈妈说："那条河不是很浅吗？"小马说："是啊！牛伯伯也这么说。可是松鼠说河水很深，还淹死过他的伙伴呢！"妈妈说："那么河水到底是深还是浅？你仔细想过他们的话吗？"小马低下了头，说："没……没想过。"妈妈亲切地对小马说："孩子，光听别人说，自己不动脑筋，不去试试，是不行的。河水是深是浅，你去试一试就会明白了。"

小马跑到河边，刚刚抬起前蹄，松鼠又大叫起来："怎么，你不要命啦！"小马说："让我试试吧。"他下了河，小心地蹚了过去。原来河水既不像老牛说的那样浅，也不像松鼠说的那样深。

# 渔夫和金鱼

［俄罗斯］普希金 著　丁鲁 译

　　从前，有个老头儿和他的老太婆住在蓝色的大海边。

　　他们住在一间破旧的泥棚里，整整有三十三年。老头儿撒网打鱼。老太婆纺纱结线。有一次老头儿向大海撒下鱼网，却网到一条金鱼。金鱼竟苦苦哀求起来！她跟人一样开口讲："放了我吧，老爷爷，把我放回海里去吧，我给你贵重的报酬：为了赎身，你要什么我都依。"

　　老头儿吃了一惊，心里有点害怕：他打鱼打了三十三年，从来没有听说过鱼会讲话。他把金鱼放回大海，还对她说了几句亲切的话："金鱼，上帝保佑！我不要你的报偿，你回到蓝蓝的大海去吧，在那里自由自在地游吧。"老头儿回到老太婆跟前，告诉她这桩天大的奇事。"今天我网到一条鱼，不是平常的鱼，是条金鱼，会跟我们人一样讲话。她求我把她放回蓝蓝的大海，愿用最值钱的东西来赎她自己。我不敢要她的报酬，就这样把她放回蓝蓝的海里。"老太婆指着老头儿就骂："你这傻瓜，真是个老糊涂！不敢拿金鱼的报酬！哪怕要只木盆也好。"

于是老头儿走向蓝色的大海，看到大海微微起着波澜。老头儿就对金鱼叫唤，金鱼向他游过来。老头儿说："我的老太婆把我大骂一顿，不让我这老头儿安宁。她要一只新的木盆，我们那只已经破得不能再用。"

金鱼回答说："别难受，去吧。你们马上会有一只新木盆。"老头儿回到老太婆那儿，老太婆果然有了一只新木盆。老太婆却骂得更厉害："你这傻瓜，真是个老糊涂，真是个老笨蛋，只要了只木盆。滚回去，老笨蛋，再到金鱼那儿去，对她行个礼，向她要座木房子。"

于是老头儿又走向蓝色的大海，蔚蓝的大海翻动起来。"老太婆把我骂得更厉害，她不让我老头儿安宁，唠叨不休的老婆娘要座木房。"

金鱼回答说："别难受，去吧，你们就会有一座木房。"老头儿走向自己的泥棚，泥棚已变得无影无踪，他前面是座有敞亮房间的木房。老太婆指着丈夫破口大骂："你这傻瓜，十十足足的老糊涂！老混蛋，你只要了座木房！快滚，去向金鱼行个礼说：我不愿再做低贱的庄稼婆，我要做世袭的贵妇人。"

老头儿走向蓝色的大海，蔚蓝的大海骚动起来。老头儿又对金鱼叫唤："老太婆的脾气发得更大，她不让我老头儿安宁。她已经不愿意做庄稼婆，她要做个世袭的贵妇人。"

金鱼回答说："别难受，去吧。"老头儿回到老太婆那儿。他看到一座高大的楼房。他的老太婆站在台阶上，穿着名贵的黑貂皮坎肩，头上戴着锦绣的头饰，脖子上围满珍珠，两手戴着嵌宝石的金戒指，脚上穿了双红皮靴子。老头儿对他的老太婆说："您好，高贵的夫人！想来，这回您的心总该满足了吧。"老太婆对他大声呵叱，派他到马棚里去干活。过了一星期，又过一星期，老太婆胡闹得更厉害，她又打发老头到金鱼那儿去。"给我滚，去对金鱼行个礼，说我不愿再做贵妇人，我要做自由自在的女皇。"

老头儿吓了一跳，恳求说："怎么啦，你吃了疯药？"老太婆愈加冒火，她甩了丈夫一记耳光。"乡巴佬，你敢跟我顶嘴，跟我这世袭贵妇人争吵？快滚到海边去。"老头儿走向海边，蔚蓝的大海变得阴沉昏暗。他又对金鱼叫唤。金鱼向他游过来，问道："你要什么呀，老爷爷？"老头儿向她行个礼回答："行行好吧，鱼娘娘，我的老太婆又在大吵大嚷。她不愿再做贵妇人，她要做自由自在的女皇。"金鱼回答说："别难受，去吧。老太婆就会做上女皇！"

老头儿回到老太婆那里。他面前竟是皇家的宫殿，他的老太婆当了女皇，正

坐在桌边用膳，大臣贵族侍候着她。周围站着威风凛凛的卫士，肩上都扛着锋利的斧头。老头儿一看，吓了一跳，连忙对老太婆行礼叩头，说道："您好，威严的女皇！好啦，这回您的心总该满足了吧。"老太婆瞧都不瞧他一眼，吩咐把他赶跑。大臣贵族一齐奔过来，抓住老头的脖子往外推。到了门口，卫士们赶来，差点用利斧把老头砍倒。人们都嘲笑他："老糊涂，真是活该！这是给你点儿教训，往后你得安守本分！"

过了一星期，又过一星期，老太婆胡闹得更加不成话。她派了朝臣去找她的丈夫，他们找到了老头，把他押来。老太婆说："滚回去。去对金鱼行个礼。我不愿再做自由自在的女皇，我要做海上的女霸王，让我生活在海洋上，叫金鱼来侍候我，听我随便使唤。"

老头儿不敢顶嘴，也不敢违拗。于是他跑到蔚蓝色的海边，看到海上起了昏暗的风暴。海浪汹涌澎湃，不住地奔腾、怒吼。老头儿对金鱼叫唤，金鱼向他游过来问道："你要什么呀，老爷爷？"老头儿向她行个礼回答："行行好吧，鱼娘娘！这该死的老太婆已经不愿再做女皇了，她要做海上的女霸王；这样，她好生活在汪洋大海，叫你亲自去侍候她，听她随便使唤。"

金鱼一句话也不说，只是尾巴在水里一划，游到深深的大海里去了。老头儿在海边等待回答，可是没有等到，他只得回去见老太婆。一看，他前面依旧是那间破泥棚，她的老太婆坐在门槛上，她前面还是那只破木盆。

# 第一次起飞

[爱尔兰] 利亚姆·奥弗莱厄蒂 著　黄源深 译

　　小海鸥孤单地站在岩石上。他的两个哥哥和一个妹妹在前一天飞走了，他不敢同他们一起飞离。不知怎的，他往岩崖上才跑了几步，还没来得及展翅，心里就怕得不行了。脚下是茫茫大海，离他很远很远，简直有好几英里。他觉得自己的翅膀无论如何支持不了，所以他低着脑袋返回岩石底下小小的巢穴里。这是他每晚安睡的地方。连翅膀比他短得多的妹妹也扑扇着翅膀飞走了，可他还是鼓不起勇气。因为在他看

来，这是不要命的事儿。他爸爸妈妈正回来尖声叫唤他，责备他，甚至威胁他，告诉他要是不飞走的话，就让他活活饿死在岩石上。可是，说什么他也不肯动弹一下。

那是二十四小时以前的事儿。直到现在，谁也没有飞到他身边来。昨天，他瞧着父母带着兄妹们飞来飞去，教他们飞行技艺，怎样在浪尖滑翔，怎样下水捕鱼。他看见哥哥第一次捕到了鲱鱼，站在一块石头上把它吞吃掉，而爸爸妈妈盘旋着，发出了自豪的鸣叫。今天早上，他看见一家人站在对面半山崖的高地上。

此刻，太阳已经在空中升起，从昨天晚上到现在，他没有吃过任何东西。他已经翻遍了粗糙的、结了泥块的稻草窝——他和兄妹们降生的地方。他甚至嚼起偶尔发现的干燥的蛋壳碎片来了，但那好像是吃他自己身体的一部分。随后，他在岩石上来回走着，灰色的身躯正好与悬崖同色。他用灰色的脚爪踱着碎步，想找出个什么办法，可以不用飞翔就到达他父母身边。可是岩石的两头都是悬崖峭壁，底下就是大海。他与父母之间隔着万丈深渊。当然，要是他能沿着悬崖表面朝北移动的话，他是可以用不着飞就能到达父母那儿的。可是话得说回来，他能往哪儿下脚呀？头顶上，他什么也看不见。悬崖高耸陡峭，到达顶部的距离也许比到脚下大海的距离还远呢！

他慢慢地走向岩崖，用一只脚站着，另一只脚藏在翅膀底下，闭上了一只眼睛，一会儿又闭上了另一只，装出睡着的样子。然而，还是没有人理睬他。他望见哥哥和妹妹躺在高地上，脑袋埋在脖子下的羽毛里，打着盹儿。他爸爸呢，正梳理着白色脊背上的羽毛。只有妈妈站在高地的一个小土墩上，挺着白白的胸脯，远远地望着他。她时而从脚边的一条鱼上撕下一块来，随后在一块石头上把嘴巴的两边擦干净。一看见吃的，他简直要发疯了。他多么希望也撕下一块鱼来，然后把嘴巴好好儿磨一磨，磨得尖利些呀！他低声地叫了一下，他的妈妈也叫了起来。

"嘎！嘎！嘎！"他叫唤着，请求她带点吃的来。"嘎瓦啦！"妈妈嘲弄地回应着。然而他继续哀鸣。约摸一分钟以后，他终于愉快地尖叫起来。原来他的妈妈已经捡起一块鱼，带着它向他飞来。他急切地凑过去，双脚轻轻拍击着岩石，想在他妈妈飞过时靠得更近些。可是当她来到他的正对面，与巉岩平行时，她停住了，双腿下垂，翅膀纹丝不动，嘴巴上的鱼离他的嘴巴近在咫尺。他惊喜地等待了片刻，但不明白为什么妈妈不更靠近他一些。随后，在饥饿的驱使下，他猛地向鱼俯冲过去。一声尖叫，他向外跌去，掉入了空中。他妈妈忽地扑向高处。他经过妈妈身子下面的时候，听到了她扇动翅膀的嗖嗖声。接着一阵巨大的恐惧向他袭来，他的心停止了跳动。霎时间，他什么也听不见了。不过这种感觉很快就消失了，随后他感到翅膀向外张开。风吹拂着他胸脯的羽毛，吹过他的腹部和翅膀。他第一次尝到翅膀尖掠过空气的滋味。他在渐渐地朝下和朝外飞翔。他不再害怕了，只是有点儿头晕。随后，他拍打着翅膀向上飞去。他高兴地大叫起来，再次扇了一下翅膀。他飞得更高了。他抬起胸脯，逆风斜飞着。"嘎！嘎！嘎！嘎！""嘎瓦啦！"他妈妈猛地飞过他身边，翅膀发出了一声巨响。他又回叫了一声。接着，他爸爸呼唤着从他上空飞过。他看见哥哥和妹妹在他周围翱翔，腾越、斜飞、上升、俯冲。

后来，他压根儿忘了自己还不会飞翔，也开始俯冲、上升、腾越，一边还尖声叫着。

现在他已经接近海面了，他在海面上空飞翔着，径直往大洋冲去。他看到了身子底下宽阔的绿色海面，小小的浪峰在海面上移动着。他把嘴巴歪向一边，欢快地呼叫着。他爸爸、妈妈、哥哥、妹妹都已登上了他面前这块绿色地毯。他们在向他打招呼，尖声地叫唤他。他把脚放了下来，站立在绿色的海面上，他的腿插入了海水。他惊慌地叫了一声，拍打着翅膀，想再次往上飞起。但是，饥饿、虚弱乏力以及刚才的一番新奇活动，弄得他精疲力竭，终于没能飞上去。他的腿陷入绿色的海水，他的肚子触到了水面。他漂浮在海面上，并没有沉下去。他们一家子在他周围叫着，夸奖他，用嘴巴给他送来了鱼儿。

他的第一次起飞成功了。

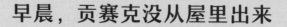

# 早晨，贡赛克没从屋里出来

[捷克] 艾多阿尔德·毕齐什卡 著　韦苇 译

　　眼下正是收割季节。一大早，爸爸和妈妈就下地干活儿去了。太阳已经升得老高老高，可贡赛克还没有在院子里露面。狗满院子跑来跑去。它不时地瞅瞅男孩儿的门，可是总不见贡赛克出来，于是，狗对公鸡说：

　　"糟了，公鸡，贡赛克病了。自从我看守这房子和院落以来，贡赛克只有咳嗽和感冒的日子才不出屋来。"

　　公鸡最爱传播消息。它要把这个消息赶快告诉院落里的伙伴们，它大叫道：

　　"喔——喔——喔！贡赛克病啦！"

　　母鸡们心里一难受，就"咯达咯达"地叫起来，鹅们心里一难受，就嘎嘎地叫开了，山羊也心疼地咩咩叫着。所有的家畜都想知道贡赛克究竟是怎么回事儿。但是谁也不知道贡赛克得的是什么病。

　　"好吃的麦粒儿对他的病总不会没有好处的，"一只老母鸡说，"贡赛克对我们可好了，他天天给我们的食槽里洒一碗清水，并且，从来也不像有些淘气的男孩那样把我们赶进池塘里。我要给他送一粒最好吃的麦粒去，让他快快恢复健康。"

　　"对极了，对极了，"母鸡们"咯达咯达"地叫着，"咱们应当送最好吃的东西给他，帮助咱们的贡赛克恢复健康！"

　　说完，母鸡们在院子里四处团团转着，要找到一样最好吃的东西。一只母鸡找到一粒燕麦，另一只母鸡找到一条蚯蚓，第三只母鸡找到一只甲虫，它们都等着有人来给它们把门儿开开。

　　狗看着母鸡们都要为贡赛克恢复健康出力，它心里也琢磨开了："说实在话，贡赛克常常跟我闹着玩儿，给我面包吃，从来不像有的男孩那样把我打得汪汪叫。我也应当给他送点什么去才好。"

　　公鸡看着大伙儿都给贡赛克送慰问品，它思来想去琢磨了好久，也拿定了一个主意："我不能像这些糊涂虫一样，给贡赛克送那样的慰问品。我不送就不送，要送就送样新鲜玩意儿，谁也不曾想到的玩意儿！"

　　正在它这么思忖着的一瞬间，一根彩色的羽毛从它的尾巴上脱落了下来。公鸡即刻叼在嘴里，郑重地送到房门口。

　　"贡赛克从来不从我的尾巴上拔毛，从来不像别的淘气男孩那样恶作剧。"公鸡寻思着，"给他留个美丽的纪念吧。他瞧着我的尾羽，病很快就会好了。"

　　山羊看着阔步走去的公鸡，不禁笑得白胡子都抖动起来。

　　"你倒是给贡赛克送去一件好玩具！可难道你不知道，病人首先需要的是吃点儿可口的东西。"它咩咩地说，"好啦，你瞧我的，我给贡赛克送一篮子三叶草去。我亲自试过，一吃三叶草，病准好。贡赛克自己也天天拔这种草来给我吃。今天，我要送点三叶草请他吃。为什么你不给贡赛克送些三叶草呢？"

　　但是公鸡不理睬它。

"这里发生了什么事？"猫忽然喵喵地说着，从围墙上跳下来。

"贡赛克病了，"大伙儿争先恐后地对猫说，"他平常对我们都很好的。我们给他送些慰问品去，希望他快快恢复健康。"

"那我也得给他送点什么去，"猫喵喵地说，"他每天都给我牛奶喝，又从来不揪我的尾巴。送点什么给他才好呢？老鼠——这是头等慰问品了。可老鼠都是贡赛克的妈妈从屋子里撵出来的。对了，我已经想出我该怎么做了……门一开，我就吱溜一下钻到贡赛克的被窝里去，我给他烘得浑身暖洋洋的。这样，病人就热乎乎的了。"

猫这么想着，就蹲在门口，等着人来开门。

只有鹅儿们还在为送慰问品的事争辩不休。它们怎么也达不成协议。

"咱们不给他唱支嘎嘎歌儿吗？"一只老鹅说。

"绝妙的想法！"鹅儿们都乐开了，"等门一开，咱们就走上台阶，唱支最欢乐的鹅歌。"

"可不是，你们等着吧，贡赛克听了鹅歌一定会高兴得不得了！"一只麻雀讥讽它们说。

"姐妹们，别理它，"一只老鹅满腔愤怒，"它嫉妒咱们的嗓子，它不能像咱们这样唱得雄壮曼妙。"

正当大伙儿一个挨一个地站到门口时，公鸡飞上了窗台，亮开嗓门一声高叫：

"喔——喔——喔！开门哟！"

接着，它用嘴"笃、笃"敲了敲窗户玻璃。

这么一来，门儿大开了，门槛上出现了睡得迷迷糊糊的贡赛克。

"你根本没生病呀？"狗惊异地问。

贡赛克的脸儿涨红了。他在不知不觉中，睡过了起床时间，所以没有出来。他为自己起晚了而感到很不好意思。不过，大伙儿这样爱护他，他心里真是太高兴了。于是，他就动手给狗舀来一大碗清水，给猫拿来了牛奶，给鸡撒了一把麦粒……

# 天上的星星

[英国] 约瑟夫·雅各布 著　叶暖阳 译

　　很久很久以前，我也不知道到底多久以前，有一个小女孩特别想找天上的星星和她一起玩。她这也不要，那也不要，就想要天上的星星。于是，在一个晴朗的日子里，她出去找星星去了。她走啊走啊，后来碰到一座水坝。

　　"你好啊，"女孩说，"我要找天上的星星跟我一起玩。你见过它们吗？"

　　"哦，是啊，我美丽的姑娘，"水坝说，"它们每晚都照着我的脸，害得我没法睡觉。来，跳进来，没准你能找到一两颗星星呢。"

　　女孩跳进水坝，在里面游啊游啊，可是一颗星星也找不到。于是她继续往前走，后来碰见一条小溪。"小溪，小溪，你好啊，"女孩说，"我要找天上的星星跟我一起玩，你见过它们吗？"

　　"是啊，我见过它们，我美丽的姑娘，"小溪说，"到了晚上，它们把我的岸边照得闪闪发亮。到水里来，没准你能找到一两颗星星呢。"

　　女孩在小溪里划呀划呀，可是她一颗星星也没找到。她继续往前走，后来碰见一群小仙子。

　　"你们好啊，小仙子，"女孩说，"我要找天上的星星跟我一起玩，你们见过它们吗？"

"见过啊，我美丽的姑娘，"小仙子们说，"它们晚上把草地照得亮闪闪的。和我们一起跳会儿舞吧，没准你能找到一两颗星星呢。"

女孩跳啊跳啊，可是她一颗星星也没找到。于是她垂头丧气地坐下来——我猜她肯定哭了。

"唉，我真可怜，我真可怜，"女孩说，"我游泳、滑水、跳舞，如果连你们也不帮我，那我就永远找不到星星跟我一起玩了。"

小仙子们压低声音商量了一阵，其中一个仙子走上前来，拉起女孩的手说："既然你不回家找你的妈妈，那就一直往前走吧。注意千万别走错路。请'四只脚'驮你去找'没有脚'，请'没有脚'驮你去找没有台阶的云梯，如果你能爬上去……"

"哦，那样我就能在天上和星星一起玩了吗？"女孩喊道。

"如果不在天上，就在别的地方。"小仙子们说完，又跳起舞来。

于是，女孩继续往前走，心情愉快多了。后来，她碰见一匹马，马缰绳拴在树上。

"你好啊，马儿，"女孩说，"我要找天上的星星跟我一起玩，你能驮我去吗？因为我累得浑身都疼。"

"不行啊，"马说，"我可不知道什么天上的星星，我在这里听候小仙子们的命令，不是我想怎样就怎样。"

"这样啊，"女孩说，"就是小仙子们让我来找你的，他们说'四只脚'会驮我去找'没有脚'。"

"这就好办了，"马说，"跳到我背上来吧。"

他们走啊走啊，走出了森林，来到海边。他们面前的水面上有一条白花花的大路，顺着大路一直延伸过去，从水里升起一道五颜六色的拱桥，直达云端，美丽无比。

"下来吧，"马说，"这里是世界尽头，我只能把你驮到这里了。我现在得回家去了。"

"可是，"女孩说，"'没有脚'在哪里呢？没有台阶的云梯在哪里呢？"

"这我可不知道，"马说，"这就不关我的事了。祝你好运，再见了，我美丽的姑娘。"

女孩一动不动地站在原地看着水面。这时，一条怪模怪样的鱼游到她的脚边。

"你好啊，大鱼，"女孩说，"我在找天上的星星和通到天上去的云梯，你能给我带路吗？"

"不行啊，"鱼说，"除非你有小仙子捎给我的口信。"

"我有，我有，"女孩说，"小仙子说'四只脚'会带我去找'没有脚'，然后'没有脚'会带我去找没有台阶的云梯。"

"啊，"鱼说，"那好吧。到我背上来，抓紧了。"

大鱼"啪啦"一声跳进了深水里，沿着那条银光闪闪的路，朝着那道明亮的拱桥游去。他们离拱桥越近，拱桥发出的光越亮，女孩不得不用双手遮住眼睛。

他们来到拱桥脚下，女孩看见那是一条通往天上的宽阔明亮的大道，在那遥远的尽头，有闪闪发亮的小东西在跳舞。

"瞧，"鱼说，"你到了，那边就是云梯。你可以试试能不能爬上去，不过记住要抓牢。我敢说，你会发现它没有家里的楼梯那么好爬；小女孩更不适合爬这种云梯。"大鱼说完，又潜到水里去了。

女孩爬呀爬呀，可是怎么也爬不上去。她前面是光，身后是水，越是挣扎，就越害怕掉进水里。

但是她还是爬呀爬呀，直到她在那光亮中感到头晕目眩，冷得瑟瑟发抖，怕得胆战心惊。可是她仍然爬呀爬呀，最终，她仿佛失去了知觉，手一下子松开了，之后就一直往下沉……

随后，"砰"的一声，她掉在了硬硬的地板上。她发现自己正坐在床边的地上大哭呢。

# 想成为一只鸟儿的熊

[美国]凯迪·里沃 著　楼飞甫 译

　　从前有一头小黑熊，它做梦都想变成一只小鸟。它已经做了十个变成鸟儿的梦，最后就以为自己已经是一只小鸟了。

　　一天，它从森林里走过，看见树上有一群鸟儿，就冲鸟儿叫道："哈罗，朋友们！我也是一只鸟儿呢！"

　　鸟儿们感到很好笑。"你才不是鸟儿呢。你没有尖嘴巴。"

　　小黑熊马上走开了，它在森林中见到一块尖尖的木片，把它插在鼻孔上，然后跑回到鸟群那儿，得意地叫道："看看，我有尖嘴巴。"

　　但鸟儿们仍然肯定地说："你不是鸟儿，因为你没有羽毛。"

　　小黑熊又跑开了，它走到一个养鸡场里，在那里拾了很多黑色、白色的羽毛，把它们粘在自己头上、肩上和背上，然后跑回到鸟群那里，叫道："你们看，我有羽毛了！我是一只鸟儿！"

　　鸟儿们看到它那滑稽的样子，笑得差点从树枝上掉下来了。"你才不是鸟儿呢！因为你不会唱歌。"

　　小黑熊有点沮丧。是呀，它不会像鸟儿那样唱出那么婉转动听的歌。但它想起附近住着一个音乐老师。它马上跑到音乐老师那儿，请求他教它唱歌。音乐老师虽然觉得有点困难，但还是收下了小黑熊做学生。小黑熊尽力学了一个星期，欢天喜地跑到鸟儿那里去唱歌给它们听："哆来咪……哆来咪……"

鸟儿们笑得眼泪都流出来了。"太蹩脚了……这叫什么歌啊，真难听。"

小黑熊伤心极了。

"不管怎么说，你都不是一只鸟儿。因为你不会飞啊。"一只鸟总结性地说。

"我会飞！"小黑熊看到旁边有一块岩石，连忙爬了上去。它站在岩石上往下看，啊，好高啊。它的心开始咚咚咚地打鼓。然而，它多想成为一只鸟啊！它伸开双臂，腾空而起……砰的一声，重重地摔在地上了。

它的屁股摔得好疼啊，插在鼻孔上的小木片也飞掉了，羽毛也撒了一地。

鸟儿们笑得前俯后仰。"你不是鸟儿！你不是鸟儿！你不是鸟儿！"它们齐声唱了起来。

小黑熊慢慢从地上爬起来，默默走开。它摸摸自己的鼻子，发现那令人讨厌的尖嘴巴已经不见。它还拔光了身上剩下的鸡毛，觉得还是自己那身柔软的皮毛舒服。它路过一片草莓地，地上结着又红又大的草莓，它美美地吃了一顿。鸟儿们吃虫子，而它吃甜甜的草莓——草莓比虫子要好吃一百倍。它满意地舔了舔嘴巴。

一会儿，它碰到另外一头黑熊。"呜夫！"那头黑熊跟它打招呼。"呜夫，呜夫！"小黑熊回应道。现在它觉得这种声音比"哆来咪"好听一千倍。它喜欢这种声音。

"看我找到了什么。"新伙伴把它领到一棵树边，它们爬了上去。树上有一个巨大的、灌满了蜂蜜的蜜巢。

"哦，天哪，做一只熊真是太幸福了！我再也不要成为鸟儿了！"小黑熊开始吃那甜甜的、甜甜的蜂蜜。

# 世界上只有小巴勒一个人

［丹麦］依因斯·西斯高尔德 著　韦苇 译

早晨，睡在小床上的小巴勒醒了。

大概是他醒得太早了，屋里静悄悄的，一点儿声音也没有。不过，阳光已经从窗口照了进来，所以他也不想再睡了。

巴勒踮着脚，轻轻往过道上走，走到了爸爸妈妈的房门口。

他轻轻把门推开了一条缝，往卧室里瞅了瞅，没有人。

巴勒走到妈妈的床边，床上空荡荡的，没人。

接着走到爸爸的床边，爸爸的床上也没有人。

妈妈爸爸都上哪儿去了呢？

巴勒回到自己的房间里。

但他已经不想再上床躺着了。对，还是穿上衣服，到院子里玩去吧。

巴勒已经能自己穿衣服了，他已经是个十足的大孩子了。

但是洗脸他可不太喜欢，于是只抹了抹鼻子尖，就算洗过脸了。

巴勒到餐室里去，穿过餐室，他走进了厨房，但爸爸妈妈也没在厨房里。这就好玩儿了——因为家里只有巴勒一个人了。巴勒下了楼梯，出了门。

以往，不经爸爸妈妈同意，小巴勒是不能出门到外面玩儿的，可这会儿爸爸妈妈全不在呀。巴勒去找他的爸爸妈妈。

就在门口正对面，停着一辆电车。巴勒往电车里瞧了瞧，电车里什么人也没有。连售票员和驾驶员也不在。这些人都到哪儿去了呢？

巴勒走进牛奶店。他跟销售牛奶的阿姨可熟啦。但柜台那儿没有那位阿姨，而且，也没一个人来买牛奶。

整条街空空荡荡，一片静悄悄。没有开来开去的汽车。电车停着。街上一个行人也不见。整个阳光照耀的世界，就只有小巴勒一个人……

巴勒一家店一家店地游逛着，但是什么人也没有，所有的人都一下子无影无踪了。在糖果店里，巴勒抓了一块巧克力填在嘴里。不用别人说，他也知道这样做不好，不过，既然这世界上就剩他一个人，那么还有谁来责骂他呢？巴勒于是觉得，世界上只剩他一个人，真好。

他走进了水果店，大口大口地啃起苹果来。可都只啃上一两口就扔了。接着，又往自己衣袋里塞了两个橙子。然而，这些人都到哪儿去了呢？

拐角处还停着一辆电车。这是二路电车。巴勒走进电车，在驾驶员的座位上坐了下来。巴勒转动方向盘，就像他就是电车驾驶员似的。丁零！电车开动了。巴勒心里很害怕。可这没关系，因为现在他是真正的电车驾驶员了，他驾起电车飞也似的往前开。巴勒戴上电车驾驶员的制帽。这制帽太大了，帽檐碰到了他的鼻子尖。巴勒伸脚去踩铃铛，可是踩不着，他就自个儿用嘴叫着：

"丁零——丁零！"

其实，这根本用不着，这街上不是一个人都没有吗？

巴勒高兴透了，世界上只剩下他一个人，太好了！现在他想要干什么就能干什么了。电车向中心广场飞快地驰去。忽然，巴勒看见前面电车道上停着另一辆电车！

当！巴勒一跟头从座位上摔到了马路边。还好，没摔伤，可电车撞了个稀巴烂！现在再不能开着它往前跑了。不过，要是巴勒想继续往前跑，他完全可以开上其他的无论哪一辆电车——街上的电车多的是。

巴勒走进公园。他常跟小朋友一道到这里来玩。他从草坪上径直穿过去。巴勒清清楚楚地看见木牌上写着：请勿踩踏草坪！可既然世界上只剩他一个人了，那还有什么允许不允许呢？

儿童游乐场上支着一架跷跷板。巴勒这回可以玩个痛快了。可这跷跷板一个人玩不起来：谁坐在跷跷板的另一头呢？唉，要是他的小朋友盖丽娅和尼尔斯在这里该有多好啊！

巴勒接着往前走，抬头看见一座漂亮的大电影院，这里，天天放映各种有趣的电影。巴勒走进电影院。没有人向巴勒要电影票，但是电影院里黑咕隆咚的，什么电影也没有。要是世界上只剩下巴勒一个人，那么谁来为他放电影呢？

……原来，世界上只剩一个人并不快活。

巴勒很想念他的小伙伴，很想念爸爸妈妈了。他特别想念妈妈。

巴勒坐进一辆漂亮的小车，满城转了起来。真奇怪，突然之间这些人都到哪儿去了呢？

最后，巴勒开着车来到飞机场。那里停着一架银亮银亮的飞机。巴勒坐进了飞机座舱，把飞机直往高处开，很高很高。飞机升呀升呀，几乎要碰到星星。猛地，飞机撞上了什么。不用说，这是撞到月亮了。

可怜的小巴勒，他头朝地，哧溜——直往下栽……

巴勒放开嗓门大叫起来，就醒了。他躺在自己的小床上。

——原来，这一切只不过是在做梦！

这时，妈妈走了进来。

"巴勒，你怎么啦？刚才为什么哭？"

"喔，妈妈，我做梦了，梦见世界上只剩我一个人！我想做什么就能做什么，可一个人太孤单，太难受……好在，我只是做了一个梦！"

巴勒一下坐了起来，穿上衣服。瞧，他到公园里去了，这会儿他正跟他的小伙伴们在游乐场上玩哩。

大伙儿一块儿玩，多开心啊！

# 白鸟之国

[日本] 秋田雨雀 著　央田 译

在一个湖边，住着一对白鸟夫妇，他们俩都自以为长得非常标致，时时刻刻讲究着羽色和步法。

"世上虽然有各种各样的鸟类，但是比我们夫妇更漂亮的，恐怕不会有了。"做丈夫的白鸟一边用他那红红的长嘴温柔地抚弄着翼上绵密的毛，一边这样说。

"这是肯定无疑的。孔雀虽然号称百鸟之王，但是她那身粗毛，不知有多么难看。跟她比起来，我们雪白的羽毛，真是无上的佳品。"做妻子的白鸟一边伸长脖颈，饮着湖水，一边对丈夫的话表示赞同。

不错，这对白鸟夫妇的羽毛的确很美，而且颈子也长得恰到好处，比别的白鸟漂亮多啦。然而可惜的是，这对白鸟夫妇都只有一只眼睛，这就是所谓白璧微瑕吧。但这对白鸟夫妇却丝毫也不觉得自己是独眼，因为丈夫所看到的，同妻子所看到的一样；妻子所看到的，也同丈夫所看到的一样。他们俩都相信，世上再也没有像他们看东西这样准确的了。

白鸟夫妇产了四个卵。他们盼望着早一点将卵孵化，生出和自己一样美丽的白鸟。就这样盼呀，盼呀，日子一天天过去。

不久，从四个卵中孵出四只可爱的白鸟来。白鸟夫妇的生活顿时为之一变，他们说不出地高兴。

"多漂亮的小鸟啊。但愿他们早一点长大，自己会捕鱼捉贝就好了。"

做父亲的白鸟说。

"是啊，但愿如此。他们生活在这湖边，不知会感到多么幸福呢。何况我们又这样疼爱他们。"

做母亲的白鸟说。

白鸟爸爸接着说道：

"这帮小家伙，生下来既不是那种低贱的野鸭，也不是那种粗鲁的鸶鸟，他们不知多么庆幸呢。"

然而有一天，白鸟夫妇发现了一件非常可悲的事。不是别的，就是这四只十分可爱的小白鸟，都多生了一个眼睛。

"哎呀！这如何是好？好端端四只漂亮的小鸟，真可惜，每只都多生了一个眼睛……"

做母亲的白鸟说道，接着发出一声哀鸣。

"可不，眼睛生得是有些怪呢——不过，不知道长大以后怎么样。或许我们生出来的时候，也都是生着两只眼睛的吧。"

毕竟做父亲的白鸟是个男子汉，说话有分量，白鸟妈妈的精神又振作起来了。

# 金色的星星

[日本]滨田广介 著　王敏 译

在离天河不远的地方，并排着三颗小星星。说来也巧，这三颗小星星是同月、同日、同时生的，可它们彼此都不一样：一颗是蓝的，一颗是红的，第三颗最小，似乎没有什么颜色，只有一点儿微弱得可怜的光。

每当太阳落山时，三颗小星星就各自坐在出生的地方，放射着光芒。但是，在天黑以前，有一件事儿，这些小星星一定得做。什么事儿呢？就是它们必须从天河里打来第二天做早饭用的水。若不这样，万一遇到夜间下雨，会把干净的水弄浑，那就不能用来做饭了。

一天傍晚，三颗小星星各自拎着一只小水桶，到天河边上打水去。三颗小星星并排站在天河池上，眺望着美丽的晚霞和映在水里的彩云。

它们小心翼翼地用桶打满了水，红艳艳的晚霞映在水桶里。

"啊……真美！"

"真的！好像云彩燃烧起来啦。"

"嘿，我的桶里也是。"

三颗小星星一面说话，一面离开河边，不时瞟着自己的水桶。快到家了，晚霞的余辉、美丽的云彩，都从水桶中消失了。

不过，随着夜幕降临，桶中的水面上又发出光彩，这是星星们各自的身影。瞧星星们那一张张脸儿，非常漂亮。在红星的水桶里映着红脸儿，在蓝星的水桶里映着蓝脸儿，可是，在第三颗星星的水桶里，好像没有什么光亮，只映着一张冰冷的脸儿。

"瞧，我的脸多像一块蓝宝石呀！"

"喏，我和红宝石一模一样。"

两颗星星肩并着肩，兴高采烈地边说边走。第三颗小星星默默地跟在它们后边。

不一会儿，它们来到三岔路口。这儿有一棵老树。它们发现树根下有一个黑乎乎的东西在蠕动，三颗星星停下来。

"啊！原来是喜鹊。你怎么上这儿来了？"

"它怎么了？"

红星和蓝星把水桶抱在胸前，伸长了脖子观望。

喜鹊躺在地上，双脚弯曲，两眼紧闭。仔细一瞧，原来它浑身沾满了污泥。

"哎呀！满身是泥。"

"是从哪里到这儿来的？"

喜鹊还活着，它的翅膀耷拉在地上，两只腿不住地哆嗦。

"怪可怜的！"

"可咱们有什么办法呢？"

红星和蓝星这样说。第三颗小星星站在旁边，默默地望着喜鹊，对两颗星星说："我给它洗一洗。"

"这不是明天做早饭用的水吗？"红星说。

第三颗小星星不听，它走近喜鹊，放下水桶说："你弄成这副样子，怎么能飞呢？想飞也飞不起来。"小星星说着，一捧一捧地把水浇在喜鹊的脸上。红星和蓝星彼此看看，站在一边，一声不响。这时天色渐渐黑了，星光更加明亮。它们俩想早点回去，放出比其他星星更加耀眼的光芒。

"咱们先走吧。"蓝星说。

"好，咱们先走。"红星说罢，便和蓝星一起走了，留下了小星星。

"啊！这儿也粘满了泥。"小星星自言自语地说，用指尖轻轻地把喜鹊眼眶里的泥沙弄干净，用水冲洗着。喜鹊渐渐地恢复了元气，它挺了挺身子，一下就睁开了眼睛。从喜鹊的眼里闪射着金色的光芒。第三颗小星星大吃一惊，目不转睛地盯着喜鹊，那金色的光芒越来越强烈，令人目眩。接着喜鹊抖动了一下翅膀，意味深长地叫了一声，一下子飞起来。

"再见，小喜鹊！小心点儿飞呀！"小星星亲切地叮嘱着。

喜鹊的眼睛里放射着耀眼的光芒，迅速飞走了。天已黑尽，可小星星还得再到天河去打水。它拎着空桶急急忙忙地向天河走去。

在那广阔的河畔，这个时候已经没有人来打水了，四下静悄悄的。小星星摸着黑，打满一桶水，又急急忙忙地往回赶。天虽然很黑，但幸好这条路它很熟，没有跌跤。它走着、走着，突然发现小水桶里闪烁着一颗金色的星星。

"啊！这？"

小星星高兴得失声叫嚷着。它停住脚步，仰望天空，寻找着这颗金色的星星，却找不到。因为这颗星星就是它自己。这颗金光闪闪的星星非常好看，它的光芒并不是从它脸上或身上放射出来的，而是从它善良的心中放射出来的。请你看看日落以后的天空，在那无数的星星中，你准能看到这颗金光闪闪的小星星。

# 风给男孩一朵云

[叙利亚]雷拉·萨利姆 著　韦苇 译

　　有个叫沙缪尔的男孩，仰头看了看天空，见一朵乌云正朝东方跑去，风在后面赶着它。

　　"风啊，风啊，给我一朵云吧！"沙缪尔大声叫喊着。

　　"可以，不过你得唱支歌给我听！"

　　沙缪尔唱得真诚又动听。风感动地说："你唱得真好听，我就送你一朵云吧。"

　　"我想让它住在我的房间里。"沙缪尔低声说。

　　风微微一笑，把一朵乌云轻轻往下一推，那朵乌云就从窗户飞进了男孩的房间。

　　"谢谢你，好心的风！"沙缪尔高兴地道了声谢，就连忙把窗户关上。

　　乌云觉察到自己被关闭在一个狭小的房间里，不高兴了，它叫起来："这是什么地方，到底发生了什么事？"

　　"我是一个喜欢云的男孩。"沙缪尔回答说。

　　乌云不吭声，它悲伤地蜷缩在天花板的一个角落里。

　　"你怎么啦？为什么不说话？"沙缪尔不解地问，"飞吧，变吧，变成一只小小的白帆船！"

"我不能！"

"那就随便变个什么吧！大象、小鱼，或者其他什么稀罕的东西都行。"

"我失去了自由，就什么奇迹都创造不了了。"

"我该怎么办呢？我可不愿意让你这样快快不乐啊！"

"请打开小窗，放我走吧！"

"可是，我希望你留在我身边。"

乌云没有说话，它只是沉默着。

"我有一副好嗓子，我可以为你歌唱。"沙缪尔说着弹起琴来，"你一定会喜欢我的歌声，你一定会同意留下来陪我玩的。"

乌云听着沙缪尔的歌声，想起它过去看到过的一条小河，在田野间闪着粼粼的波光。

"不错，你有一副美妙的歌喉，你是一个善良的孩子。"乌云说。

"这么说，你愿意留下来啦？"

"我还是请求你放我走。"

"我不明白，你为什么口口声声说要走呢？"

"大海生下我，就把我抛向天空，它对我说：'飞吧，飞到东方去，那里开满咖啡花的田野正干涸着，飞到那里去下一阵雨吧！'因此，我才往这边飞的。"

"要是你不飞过去呢？"

"小小的秧苗就会旱得枯死。"

沙缪尔听了乌云的话，好像听到了从很远很远的地方传来秧苗被干旱折磨的声音。他立刻跑到窗前，"哗啦"一下打开窗户。

乌云飞了出去，越飞越高，一头钻进了天空，变成了一只带白帆的小船。沙缪尔微笑着，挥手告别，直到乌云在视野里消失……

# 狐狸与乌鸦

[古希腊]伊索 著　马嘉恺 译

　　乌鸦弄到了一小块奶酪，叼着它停到了树上。狐狸走过来，围着乌鸦打转，打起了鬼主意。他以狡诈的诡计得逞了。"多么优美的乌鸦。"他惊呼起来，拜倒于她那完美的体态和光洁的羽毛，"噢，假如她的声音也配得上她的美貌，那么她将当之无愧地被尊为群鸟之女王！"他只是虚情假意地说了这些，乌鸦却已急着证明自己并非徒有其表。她随即引吭高啼，同时丢了嘴里的奶酪。狐狸迅速将奶酪捡起，然后对乌鸦直言道："我的好乌鸦，你的嗓门儿够大，可有所欠缺的是脑袋瓜。"

# 冬天的礼物

[日本]岛琦藤村 著　崔红叶 译

"小学生，今天还去学校啊？天这么冷，还坚持去上学，真是好孩子。你天天这样，奶奶还要奖励你呢。"说话的这位陌生的老奶奶是很善良的，可不像她的外表那样，她用自己的手，把上学的孩子们的手焐暖。

"哎呀，手都冻成这样，还不觉得冷吗？不过，你来回走那么远的路，身体可变得结实了。看你的脸色多好！"老奶奶又说。

上下学的小学生被不认识的人这么一说，仔细打量起这位陌生的老奶奶。她右手拄着一条像是从山上砍来的细拐棍，左手提着一个篮子，篮子里装满了绿油油的蜂斗菜的花苞，她简直像是从童话故事里跑出来的老奶奶。

"您是谁？"小学生问。老奶奶微笑着指指篮子里蜂斗菜的花苞让小学生看。"我是冬天，"她对小学生说，"回家以后，请让爸爸、妈妈看看你的小脸蛋。你的小脸蛋变红了。这就是奶奶给你的一点点小礼物。"

# 造星星的人

萧袤 著

　　他整天都在叮叮当当地敲敲打打，连周末也不休息。偶尔会溅出好看的星星，但这些星星一闪即逝，很难固定成形。看来，要想造出一颗星星，还真不容易。他得歪着头，在星星冒出来的一瞬间，轻轻呵口气，像小孩子吹泡泡一样，有时会把一颗星星吹起来，在暗黑的小屋里笨拙地飞。

　　学会飞翔的星星，不愿意离开他，像萤火虫似的布满天花板。到了夜里，他家也不用点灯，星星就是他的灯。他在星光下入眠，睡得很好。

　　有一天，来了一只小熊，从他这里领走了几颗星星。从此，天上有了小熊星座。后来，又来了一只大熊，也领走了几颗星星。于是天上就有了大熊星座。

　　他是个很爽快的人，不管是谁，只要愿意，都可以从他这里领走属于自己的星星。领星星出门的时候，他总是很舍不得——星星们更是舍不得离开他。有什么办法呢？星星是属于天空的。跟天空比起来，天花板太低，也太硬，而且太小。很多时候，那些不愿意离开他的星星，差不多是被他"赶"出家门的。比如天狼星。

　　"没关系，它不会咬你。"他说，"既然天狼喜欢你，就会好好照顾你。"

　　天蝎看起来也蛮可怕。被天蝎喜欢的星星直往后躲，都躲到他的腋下了。"去吧，跟天蝎去吧。"他一边说，一边抬起胳膊，擦了擦眼睛，"我可以造出你，但不能养你一辈子啊。"

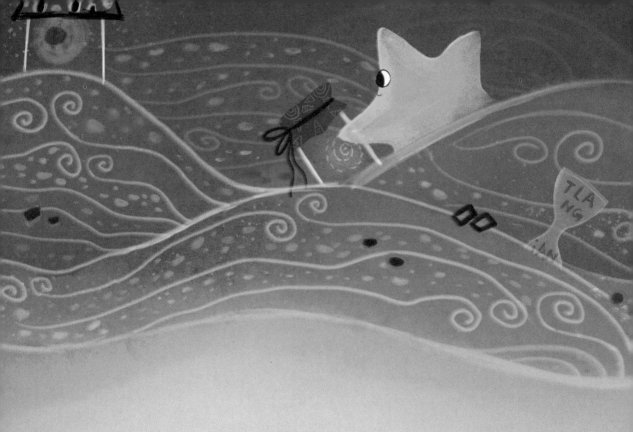

　　星星们是很会吃东西的，最爱吃的是愿望。造星星的人只有一个愿望：造出更多的星星。一个愿望远远不够星星们吃。小屋天花板上的星星太多了，有的饿得很瘦，造星星的人看着很难受。而天空是多么广阔，多么辽远呀。天空之下，人们的愿望又是多么无穷无尽啊。够星星们吃的！

　　几年不见，有的星星长胖了，比如天蟹星。有些星星偶尔也会变成流星，溜回来看他。他还在小屋里敲敲打打，叮叮当当响。小屋还是那么星光迷离……他也不见老——造星星的人是不会老的。

　　"快回去，回去好好发光，"他对来看他的星星说，挥了挥布满老茧的右手，"不用担心我，我没事……别让人们满世界找你。"

　　天空之大，远远超出了我们的想象。就算他造出再多的星星，一点也不担心没地方安放，更不担心没人要——喜欢星星的人多了去啦。有些星星也会死，像花朵一样凋谢。所以，他一直在造星星，连周末都不休息。

　　每年七月初七的夜里，他会踱出小屋，在花架下抬头看天。那是他一生之中造出的最得意的星星：两颗大的，两颗小的。大的是牛郎织女星，小的是他们的儿子星。在这一天夜里，牛郎星会带着两颗儿子星，一起踏着鹊桥，跨过银河，去见织女星。看到他们一家子相亲相爱，他常常感动得流泪。这一天是人间的七夕节。

　　他流泪还有一个原因，是觉得对不住这两颗星星，它们原本是一颗，却被他无意中（因为心急，气流有点大）吹成了两颗——不，一共四颗。两颗小星星是从织女星身上吹出来的。当初被牛郎织女和他们的孩子们领走星星的时候，他忘了告诉他们一家人，领走这四颗星星，是要付出代价的。

　　这代价就是：一年只能见一次面。

　　你想拥有一颗星星吗？想的话，快去找造星星的人。

　　做一个有星星的人是幸福的、快乐的。

# 为什么骆驼的眼神总是那么疲惫

[瑞士] 于尔克·舒比格 著　廖云海 译

从前，骆驼是很好奇的动物，它总是睁着大眼睛。那时，它住的地方，到处是草地和苹果树。有一天它离开了家，到外地去流浪，最后它到了沙漠的边缘。骆驼非常惊讶，这里除了沙子没有别的，于是它走向第一座沙丘，爬上了沙丘。

那后面除了另一座沙丘，什么也没有。骆驼继续往前走。那后面一定有别的东西！它想。于是它又走向第二座沙丘。那后面除了另一座沙丘，又是什么也没有。就这样，骆驼经过了十座、一百座、一千座沙丘，它越走越深入沙漠。那后面一定有别的东西！它一直这样想。一定有别的东西，一定有别的东西，一定有……

骆驼继续往前走。它越来越渴，越来越累，眼皮也越来越重，眼睛越来越小。当它看见最后一座沙丘时，已经丧失了所有的勇气。那后面一定什么东西也没有！它想。骆驼喝着水，它的眼睛差不多快闭起来了。它想，那后面一定什么也没有，什么也没有。

从这一天起，骆驼就有了疲惫的眼神。

# 狼和狐狸

［德国］格林 著　文泽尔 译

狼让狐狸做自己的跟班，无论狼想要什么，狐狸都必须负责实现，因为在狼的世界里，狐狸总是最弱小的。也正因此，狐狸很希望能够摆脱狼。

有一次，它们俩一起横穿大森林，狼说："红狐狸，去给我弄点吃的，否则我就把你给吃了。"

狐狸回应道："我知道附近有个农场，里面养着些小羊羔。如果你对羊羔感兴趣，我们就去弄上一只。"

狼同意了，它们就去了农场。狐狸偷了一只小羊羔，带出来给了狼，自己马上跑远了。狼吃完之后觉得不过瘾，还想再吃一只，一看狐狸不在身边，便决定自己亲手去捉。狼的身手没有狐狸灵活，转眼就被小羊羔们的母亲给发现了。母羊大声哀嚎，咩咩直叫，用叫声把农场里的农民们给引了过来。农民们一看有狼，立即往死里揍它，狼回到狐狸身边时，已经是一瘸一拐的了。

"你可真把我骗得够呛。"狼说，"我想进去抓另一只羊羔来吃，被农民们逮住，都快把我给打扁了。"

狐狸答道："那也只能怪你自己，是个怎么样也填不饱肚子的家伙。"

第二天，它们来到田间散步。贪得无厌的狼又说："红狐狸，去给我弄点吃的，否则我就把你给吃了。"

　　狐狸回应道："我知道附近有户农家，那家的女人今晚要煎饼子，我们去弄些做好的饼坯来吃吧。"

　　它们这就去了那个农民家的屋子。狐狸偷偷绕着屋子打转，往里面窥探，同时用鼻子嗅味道，找了好半天，终于找到了放饼坯的盘子。狐狸从最上面拽了六张饼坯下来，拿去给了狼。

　　"你就吃这些吧。"狐狸对狼说道。说完之后，它就去忙自己的事了。转眼之间，狼已经把六张饼坯吞下了肚，自言自语道："饼坯的味道真好，我还想多吃点。"

　　于是，狼跑进屋子里，直接把放饼坯的盘子给拖了下来。盘子瞬间摔成了碎片，发出巨大的声响，把农民的妻子给引了过来。她一看有狼，马上高声喊人。人们聚拢过来，用手边所有能用得上的东西，狠狠揍狼。狼被打瘸了两条腿，步履蹒跚地回了森林，去找狐狸。

　　"你真是用心险恶，瞧瞧把我引去了什么地方！"狼哀嚎道，"农民们逮住了我，差点剥了我的皮。"

　　可狐狸却说："那也只能怪你自己，是个怎么样也填不饱肚子的家伙。"

　　第三天，它们又一起出去。狼因为腿瘸了，费了很大力气，才能够勉强走路，但

它还是对狐狸说："红狐狸，去给我弄点吃的，否则我就把你给吃了。"

狐狸回应道："我知道有个人，他今天刚好杀了头牲口，那些用盐腌好的肉，存放在一个木桶里，放在了地窖下面。我们去弄上一些来吃吧。"

狼说："不过这次，我要直接跟你下去。因为我没办法跑，到时你可以帮我一把。"

"可以的。"狐狸答道。说完，它就将进入的诀窍和路线教给了狼。按着狐狸的方法，它们终于来到了地窖里，那里存着大量的肉。狼马上扑了上去，心里想着："还有不少时间呢，我要抓紧吃。"

狐狸也觉得肉很好吃，但它还是留意了四周的动静，一而再、再而三地跑到钻进来的洞口那里，试试身体够不够瘦，还能不能从洞里钻出去。狼看到它这样，说道："亲爱的狐狸，告诉我，为什么你总是左跑右跑、钻进钻出的？"

"我必须小心留意，确保没有人过来。"这个狡猾鬼答道，"你不要吃太多了。"

听到狐狸这样说，狼不乐意了："不把这整桶肉吃空，我可不愿意走。"

此时，这家里的农民其实已经听到狐狸跳进跳出的声音，并且悄悄进到地窖里来了。狐狸一看到农民，马上就从洞里钻出去逃走了。狼想跟着狐狸出去，可它吃得实在太多，肚皮圆滚滚的，没办法穿过洞穴，反而卡在里面，出不去了。

农民走到洞旁边，抢起棍子，把狼给活活打死了。狐狸却一蹦一跳地奔回了森林，对于自己终于能够摆脱掉那个肚子怎么也填不饱的无底洞感到万分欣喜。

160

# 小冷杉

佚名 著

从前，有一棵很瘦小的小冷杉，它的顶部很尖，叶子泛着光泽。可是，它周围的树都很高大。每次小鸟飞进树林，准备在树上筑巢的时候，小冷杉树就会喊："下来，下来，落在我的树枝上吧。"

可是它们总说："噢，不要，不要，你太小了。"

每次微风吹进树林，大树的树叶"刷刷"地响，小冷杉就会朝上面喊："亲爱的微风，下来跟我玩吧。"

但微风总说："噢，不要。你太小了。"

冬天的时候，白雪慢慢落在大树上，给它们戴上白色的帽子，穿上雪白的外衣。小冷杉身上没有一丁点雪，于是，它喊道："亲爱的雪，也请给我戴上帽子吧。"

但是雪回答道："噢，不要，不要，你太小了。"

最不开心的是，每次人们到森林砍树，都只选大树。每次他们走后，其他大树就议论纷纷，说被运走的树可能成为大船的桅杆，漂洋过海，看许多美丽的风景；也有可能成为城市里的房子，见各种大世面。小冷杉也想去看看外面的世界，但是它那么小，总是被忽略。

不过，不久后，一个寒冷的冬天早晨，人们进了树林，看了看那些大树，说："这里的树都太大了。"

天啊！小冷杉全身的树叶都立起来了！

"这里有一棵，"一个人说道，"刚好那么小。"然后他摸了一下小冷杉。

小冷杉知道自己要被砍下来，它在想自己将会成为大船的桅杆，还是会做城市里大房子的柱子呢。很快，小冷杉到了镇上，被放在一堆小冷杉里。它们都那么小。人们陆陆续续过来挑选，身边的小冷杉一棵棵被人带走。所有人都朝着它摇摇头说："太小了，太小了。"

最后，来了两个小孩，他们仔细地挑选剩下的树。他们看到了小冷杉，喊道："我们要这棵，它刚好那么小。"于是，他们带走了这棵小冷杉。两个小孩抬着它穿过好几个大门，进了一个空荡荡的小房子。

他们把小冷杉竖在一个木桶里，就转身离开了。过了一会儿，两人抬着一个大篮子回来，他们把篮子里的东西拿出来后，就在小冷杉上摆弄起来。这恰恰是小冷杉经常请求风雪和小鸟们做的事呀。小冷杉感觉到他们在轻轻地抚摸它的头。它低头看着自己，看见从头到脚都挂满了金银链子，周身都围着一串串白色毛茸茸的东西。它的枝叶上挂满了褐色的坚果、粉色的小球和银色的星星，手臂上还有好看的蜡烛。不过，最棒的是，它的头顶上放着一个白色的天使娃娃！小冷杉开心极了。

过了一会儿，大家都离开了，只剩下它一个。天色暗下来了，小冷杉听到门外传来各种声音。它觉得有点孤独。

突然，门开了，两个小孩走到小冷杉身边，很快点燃了所有的蜡烛。他们推着小冷杉，穿过大厅，进了另外一个房间。大大的房间里，一群小孩子们尖叫起来。

"哇！天啊！好漂亮！"

孩子们闪亮的眼睛都盯着小冷杉。它站得笔直，每一片叶子都高兴得微微颤抖。一个小孩轻轻地说："这是我见过的最好看的圣诞树！"

小冷杉终于知道自己是什么了。它是一棵圣诞树！它开心极了，因为它小小的，刚好可以做那棵最好看的圣诞树。

# 我想要只猫

[美国]托彼·施比德 著　徐建华 译

亨利家里有四扇大窗。从东面的窗子，他能看到森林；从西面的窗子，他能看到海洋；从南面的窗子，他能看到草原；从北面的窗子，他能看到高山。

亨利独自在这里生活了很多年。他很孤独。他想有只猫来作伴。

每天早晨，亨利会到东面的窗子前，对着森林许愿："我想要只猫。猫能给我带来快乐。"可猫没来。

中午，他到西面窗子前，对着海洋许愿："我想要只猫。猫能帮我赶走臭虫。"猫还是没来。

下午，他来到南面的窗子前，对着草原许愿："我好想要只猫啊！到了寒冷的冬天，猫能暖和我的脚。"可猫仍然没来。

晚上，亨利已经失望得没有力气许愿了。他走到北面的窗前，看着高山睡着了。就在北面的这座高山里，住着一个孤单的小精灵。每天，她听到亨利向着东方、西方、南方许着愿。那么多愿望都浪费了！可小精灵这儿，一个愿望也没

有。她多想帮亨利实现愿望啊。

她亲自去找亨利，对他说："面朝北方许愿吧！这样你的愿望就会实现。"

亨利高兴极了。晚上，他真的面朝北方的高山，许愿说："好东西我都喜欢，不过我想要只猫。"

"呼"的一声，愿望立刻飞了出去。可是，在半路上，一阵大风吹走了最后几个字——"不过我想要只猫"。只有前几个字"好东西我都喜欢"平安飞到了高山上小精灵的耳朵里。小精灵挥动她的魔法棒，"哗"的一下，就实现了亨利的愿望。然后，她亲自去看亨利。

"小精灵，你瞧瞧吧，我只想要只猫，可是我房子里的东西却多得放不下了。"亨利说。

确实，亨利的屋里堆满了东西。衣柜、沙发、篮子、古董、餐桌、开水瓶、跳水踏板、摇椅、睡椅、床、枕头。每面墙壁都有温暖的梦壁炉。每口箱子里都有漂

亮的帽子。

可就是没有一只猫。

"我没有听见你说要只猫，我只听见你说好东西你都喜欢。"小精灵说，"别担心，你再许一次愿吧。"她说完就回到了高山上。

于是，亨利又许了一次愿："我什么都不想要，只想要只猫。"

"呼！"愿望飞出去了。可是在半路上，一块大石头挡住了后面的几个字——"只想要只猫"。只有前面几个字"我什么都不想要"平安飞到小精灵的耳中。小精灵挥动魔法棒，"哗"的一下就实现了亨利的愿望。然后，她又去看亨利。

"小精灵，瞧瞧你干的好事儿，现在我什么都没有了。"亨利伤心地说。的确，他连房子都没有了。

"我是说：我什么都不想要，只想要只猫。"

"你等着，我会实现你的愿望的。"小精灵飞回高山，挥动魔法棒念道：让亨利的房子飞回原处，还要让他有只猫。

这两个愿望都实现了。亨利终于有了一只猫。他成了世界上最快乐的人。

# 仙鹤报恩

日本民间故事　林林　译

　　从前有个叫家禄的年轻人，家里生活十分拮据。家禄和上了年纪的妈妈生活在一起。一天，家禄在山里发现了一只被套住的仙鹤。"唉……真可怜啊！"于是家禄解开仙鹤的套子，把它放走了。

　　一个非常寒冷的夜晚，有人在咚咚地敲门。家禄觉得奇怪，打开门一看，门外站着一个异常美丽的姑娘。姑娘的声音很悦耳："我迷路了，能不能让我住一晚上啊！"家禄很吃惊，不过还是很高兴地让她住下了。

　　第二天，姑娘突然对家禄说："请让我做你的妻子吧！"家禄又吃了一惊："我们家很穷，连吃的都没有，是没有办法娶老婆的。"但姑娘毫不在意地说："我不在乎！"家禄的妈妈听了这件事后对家禄说："既然这样的话，你就娶了她吧！"

　　一家人过着幸福的生活。一天，新娘子说："这三天我要织布。但是一定不要偷看我！"于是新娘子用屏风把织布机团团围住开始织布，屏风里面不断地传来咚卡吱

的织布声。第三天的时候，新娘子拿着非常漂亮的布从屏风后面出来了。"请把这个卖给殿下！"

殿下用高价买下这匹布后说："再拿一匹来！我会给你更高的价钱！""这……我得和我娘子商量一下，否则无法答应您。"家禄虽然这么说，可是任性的殿下非常固执己见。家禄没有办法，只好勉强答应下来："就只有一匹啊！"

回到家后，家禄拜托娘子再织一匹布。"知道了。这次要织七天。这期间绝对不能偷看的！"新娘子又取出了屏风把织布机围住，屏风里依旧传出了咚卡吱的织布声。

一天天过去了，家禄渐渐有点担心了。"娘子什么也不吃，不会有什么事吧？我就看一眼！"于是家禄偷偷地看了一下屏风里面，看过后不禁大吃一惊，"啊？这？"屏风中一只仙鹤正在拔自己身上的毛用来织布，而它身上的羽毛已经所剩无几！仙鹤看到家禄后说："我就是那只被你救过的仙鹤。但现在已经被你看见了原形，所以不得不回去了！这是刚织好的布，你把它卖给殿下吧！"

然后，仙鹤一直看着天空，不久飞来了一千只仙鹤，围住了这只光秃秃的仙鹤。

"不要走！"家禄大声喊着。

但群鹤还是带着那只秃鹤飞向了天空。据说，那只鹤是鹤中的女王。

# 鱼的故事

[英国]安德鲁·兰 著　　刘娟 译

你或许会认为鱼始终都是鱼，除了在水里以外，在其他任何地方都不能繁衍生息。但要是你到澳大利亚去，跟那个国家中部沙漠里的人交谈，你就会听到一些完全不同的东西。他们会告诉你，在很久很久以前，你会在陆地上遇见到处乱爬、猎杀各种动物的鱼。要不是因为发生了一件可怕的事情，它们恐怕至今仍在捕杀着别的动物。

一天，整个鱼部落从一场狩猎远征中归来。它们非常疲倦，四下里寻找着凉爽的地方好安营扎寨。天气非常炎热，它们觉得再也找不到一个比河岸边的大树下面更舒适的地方了。于是它们在一片陡峭的河岸边上生火做饭。河岸下面的岸基处有一口深潭。生好火煮上饭之后，它们全都伸直了身子懒洋洋地在树下躺了下来。就在它们刚要睡着的时候，一大片乌云铺展开来，遮住了太阳。雨开始大滴大滴地落下来，火差不多被淋熄了。你知道，在那些很原始的国度里，这是一件非常严重的事情。它们没有火柴，要把火重新点燃是件非常困难的事情。更为糟糕的是，一阵冰冷的风吹了起来，那些可怜的鱼被冻得通体冰凉。

"这样可不行，"部落里最年长的萨基说，"除非我们能把火重新点燃，否则我们就会被冻死的。"它吩咐自己的两个儿子把两根棍子放在一起相互摩擦，希望能点燃一朵火苗。尽管它们都擦累了，但一颗火星都没能擦出来。

"让我来试一试。"海鳝比尔努加叫道。但它的运气也好不了多少。鳊鱼昆保罗和其他所有的鱼都一样。

"这样做没有用，"萨基最后喊道，"木柴太湿了。想必我们只能坐等太阳重新出来，把柴晒干了。"这时，一条非常小的鱼——它的确非常小，最多不过四英寸长，也是那个部落里最年轻的鱼——在萨基面前鞠了个躬，说道："叫我父亲鳕鱼加德胡来点火吧。他比大多数鱼都更擅长魔法。"于是萨基便让它去点火。加德胡从一棵树上剥下几块树皮，放在还未完全熄灭的灰烬上，然后跪在火堆旁边吹了很长时间，直到最后，微弱的红光变得稍强一些了。看见这一情景，部落里的其他鱼都围了过来。它们的背挡住了刺骨的寒风，加德胡却告诉它们应该站到另一侧去，因为它想让风把火吹燃。不久之后，火星变成了一朵火苗，一阵欢快的噼啪声响了起来。

"我需要更多的木柴。"加德胡叫道。于是它们全都跑去捡柴火，堆在火堆上。火焰跳跃着，呼啸着，噼噼啪啪地爆裂着。

"这下子我们很快就又能暖和起来了，"鱼们相互说道，"加德胡真伟大。"它们又围了过来，而且越聚越拢。突然，一阵风呼啸着从山坡上横扫而来，把火吹向了它们身上。它们慌忙往后跳，完全忘记了自己站在什么地方，结果全都从河岸上掉了下去。它们滚成一堆，直到最后滚进了河岸下面的那座水塘。

　　噢，那太阳永远也照不透的黑水里好冷呀！不久之后，它们又觉得暖和起来了，因为被那股强风吹走的那堆火也跟着它们掉进了潭底，并在那里像先前一样旺盛地燃烧着。那些鱼就像在悬崖顶上时那样，在火堆周围聚集起来，它们发现火焰还是像先前那样灼热，而且那堆火像陆地上的火一样，永远也不会熄灭。所以，到现在你就会明白，为什么在严寒的日子里，要是深深地潜入冰冷的水面之下，会发现那下面既温暖而又舒适，并会为不能待在那里而感到非常遗憾了。

# 两只青蛙

[英国]安德鲁·兰 著　刘娟 译

　　从前，日本有两只青蛙，一只住在海滨城市大阪附近的一条沟里，另一只住在流经京都的一条清澈的小河里。由于相隔遥远，彼此从未听说过对方，但是好笑的是，两只却同时想到了要出去见见世面，住在京都的想去大阪，而住在大阪的则想去京都，那里有天皇的皇宫。

　　于是，在一个春天的晴朗早晨，两只青蛙都踏上了旅途，一只从这头出发，一只从另一头出发。它们对旅行都一知半解，所以旅程要比想象的累人得多。在两座城市中央，有一座高山。它们花了很长时间，跳了无数次，才登上山顶。尽管如此，它们俩最终都如愿登上了顶峰，看到了对方，真是有说不出的惊讶！它们一言不发，对望了一阵子，然后开始攀谈起来，解释各自离乡背井、在此相会的缘由。它们非常高兴，发现彼此志同道合，都想对祖国多了解几分。由于用不着着急，它们就找了一个凉爽潮湿的地方躺下来，彼此约好，先美美地睡上一觉，然后再各奔前程。

　　"只可惜我们的个子不能大一些，"大阪的青蛙说，"要不然在这儿两座城市都能看得见，就能知道值不值得继续上路了。"

　　"哦，那好办，"京都的青蛙回答说，"我们只需要用后腿站起来，抱住彼此，这样我们就能眺望各自要去的城市。"

　　这个主意让大阪的青蛙非常高兴，立马跳起来，前爪搭在朋友的肩上，而朋友也已经爬起身。它们俩就站在那儿，尽量伸长脖子，紧紧抓住对方，防止倒下。京都的

青蛙把鼻子朝着大阪的青蛙，大阪的青蛙把鼻子朝着京都的青蛙，但是这两只蠢东西都忘记了一点，那就是当它们站起来时，大眼睛都长在后脑勺，因此，尽管它们的鼻子朝着各自想去的地方，眼睛看到的却是它们来的城市。

"天啦！"大阪的青蛙叫了起来，"京都和大阪一模一样，根本不值得跑这么远。我要回家去！"

"我要是晓得大阪仅仅是京都的翻版，我绝不会跑这么远。"京都的青蛙惊叫起来。它一边说，一边把手从朋友的肩上抽回，两只青蛙都跌倒在草地上。然后它们互相道别，各自踏上归程。直到它们临死那一天，它们都还以为大阪和京都这两个截然不同的城市一模一样呢！

# 侏儒妖

[德国]格林 著　文泽尔 译

从前，有个磨坊主，他的女儿长得美丽无比，而且聪明伶俐，为人精明，因而她父亲总是不厌其烦地吹嘘她，把她吹得天花乱坠。

有一天，磨坊主应召进宫，他对国王吹牛说，他女儿能把稻草纺成金子。

谁知国王是个见钱眼开的人，一听磨坊主的话，马上就吩咐召见姑娘。姑娘进宫之后，国王把她领到一间装满了稻草的屋子，然后给她一架纺车，吩咐她道："明天天亮之前，你必须把稻草全给我纺成金子，不然的话，就处死你。"

尽管姑娘一再说明她根本没有这种本领，可是国王听也不听，把门一锁，扬长而去，屋子里就剩下了她一个人。

姑娘坐在屋角里，面对自己的厄运，愁肠百结，于是就放声大哭起来。正在这时，屋门突然打开了，一瘸一拐地走进来一个小矮子，样子滑稽可笑，他对姑娘说："晚上好，姑娘。干吗哭得这样伤心呢？"

　　"唉，"姑娘回答说，"我必须把这么多的稻草全都纺成金子，可我哪儿会这个呀！"

　　"要是我替你纺，"小矮子说，"你拿什么酬谢我呢？"

　　"把我漂亮的项链送给你。"姑娘回答道。

　　小矮子相信姑娘说的话，于是就坐到了纺车前。纺车不停地转啊转，发出欢快的声音。不大一会儿，活儿就干完了，满屋稻草全都纺成了金子。

　　国王进屋一看，真是又惊又喜，可他的心却变得更加贪婪。他把磨坊主的女儿关进另一间有更多稻草的屋子，吩咐她再把这间屋子里的稻草纺成金子。可怜的姑娘不知如何是好，坐在那里又哭了起来。谁知正在这时，小矮子打开屋门问道："要是我帮你纺，你拿什么酬谢我呢？"

　　"把这枚钻石戒指送给你。"姑娘回答说。

　　于是，她的这个矮小的朋友接过了戒指，然后走到纺车前，纺了起来。他不停地纺啊纺，天亮之前，终于把屋里的稻草全都纺成了金子。

　　国王一见这么多闪闪发光的金子，满心欢喜，可他仍然不满足，就把磨坊主的女儿带到了另一间更大的屋子，并且对她说："要是你今晚把这里的稻草全都纺成金子，我就娶你做王后。"

　　国王走了，剩下姑娘一个人的时候，小矮子又来了，问姑娘说："要是我第三次还替你纺金子，你拿什么酬谢我呢？"

　　"我再也没什么可送给你啦。"她回答说。

　　"那么，你得答应我，"小矮子接着说道，"等你做了王后，把你生的第一个孩子送给我。"

　　"那可万万不行。"姑娘心里想，可是她现在已走投无路，就答应了他的要求。

小矮子又一次把稻草全都纺成了金子。

次日清晨，国王又来了，发现一切如愿以偿，就娶了磨坊主的女儿做王后。

王后的第一个孩子出生了，她欢天喜地，却把小矮子和她自己的诺言给忘了。谁知有一天，小矮子突然来到她的房间，提醒她不要忘记了自己许下的诺言。面对这突如其来的不幸，她悲痛欲绝，只得提出将王国所有的金银财宝都给他，作为交换的条件，可是小矮子说什么也不答应。王后失声痛哭，哭得像个泪人似的，小矮子见了心也就软了下来，对她说道："我宽限你三天时间，要是你在这三天之内能说出我的名字，你就把孩子留下。"

于是，王后派遣很多信使去全国各地，打听没有听说过的名字。

次日，小矮子又来了，她就开始把所有记得起来的名字都说了出来，什么迪姆斯啦，本杰明啦，简罗米啦，等等。可是小矮子每听一个都说："我不叫这个。"

第二天，她把听到的滑稽名字都说了出来，什么罗圈腿啦，小罗锅啦，八字脚啦，诸如此类。可是小矮子每听一个还是说："我不叫这个。"

第三天，有个信使回来说："我正在上山的时候，发现森林中有一个小棚子，棚子前燃着一堆篝火，一个滑稽可笑的小矮子用一只脚围着火堆蹦过来、跳过去，一边蹦跳一边唱着：'今天我酿酒，明天露一手；又唱又跳多快活，明天小孩就归我；王后绞尽脑汁儿却说不准，本人名叫龙佩尔斯迪尔钦！'"

王后听了高兴得跳了起来。过了一会儿，小矮子又来了，进门便问："王后，我叫什么名字啊？"王后回答说："你是不是叫约翰哪？""不对！""那你是不是叫汤姆呢？""也不对！"

"也许你叫龙佩尔斯迪尔钦吧？"

"肯定是巫婆告诉你的！肯定是巫婆告诉你的！"小矮子喊叫着，气得直跺脚，结果右脚深深地陷进了地里。他不得不弯下腰去，用双手紧紧抱住小腿，用尽全身力气才拔了出来。随后，他便急急忙忙溜走了，这场虚惊也就结束了，大伙于是开怀大笑。王后后来再也没有见到过他。

# 圣诞节的礼物

[日本]竹久梦二 著　曾杨 译

"喂，妈妈！"

下午三点的时候，美津将茶点盘子里的第二块树叶面包掰成了两半。她一边喝着下午茶，一边叫唤着一旁忙碌的妈妈。

"喂，妈妈！"

"什么事呢，美津？"

"那个……妈妈，马上就是圣诞节了吧？"

"是啊，马上就是了。"

"什么时候到呢？"

"睡够美津的年纪就到了哦。"

"美津的年纪？"

"是哦。"

"那，妈妈……一岁、两岁、三岁……"美津掰着手指头数起来。

"六岁，是吗，妈妈？"

"是哦，睡六个小时就是圣诞节了。"

"圣诞节，嗯……我该要些什么礼物呢？"

"美津想要什么，圣诞老爷爷都会给你的哦！"

"真的吗，妈妈？那我想要穿着金色衣服的法国女王。她有红色的脸蛋，然后……还有什么呢？然后，钢琴……妈妈，可以再要一些吗？"

"可以是可以，可是妈妈记不了那么多东西哦！"

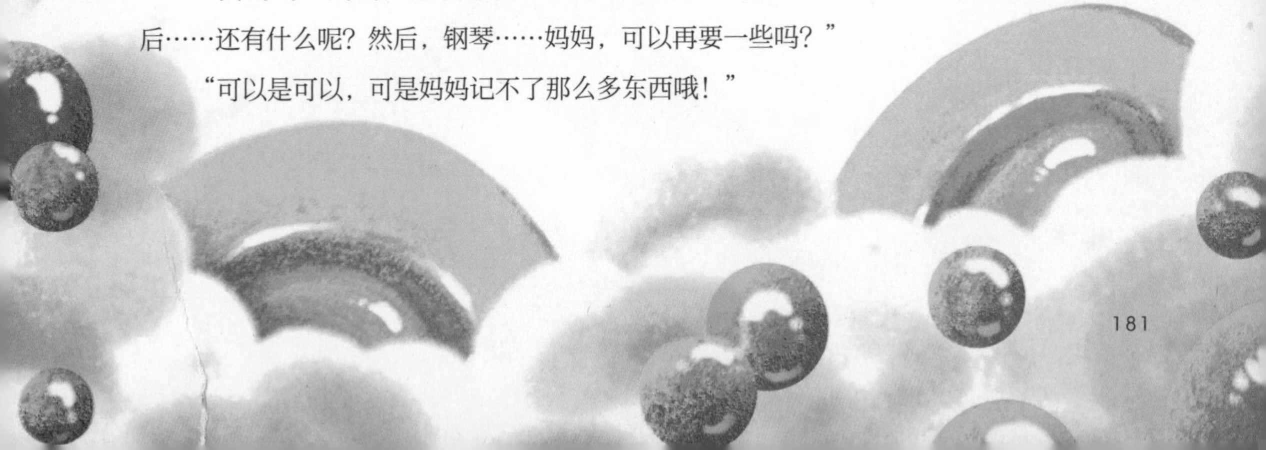

"但是，妈妈，不是圣诞老爷爷来送礼物吗？"

"是啊，虽然是这样，圣诞老爷爷也记不了那么多哦！"

"那么，妈妈，你写给他吧！然后寄给圣诞老爷爷。"

"好，好，那我写了哦，美津，你说吧！"

"钢琴、玩偶、蜡笔、素描贴、玩具、手套、缎带……那个，妈妈，不可以要房子，是吧？"

"是啊，因为房子太重了，圣诞老爷爷年纪大了，拿不动哦。"

"那么，钢琴也不行喽！"

"是呀，那么重的东西都不行哦。"

"那么，钢琴房子都不要了。啊，口琴！口琴的话就比较轻了，然后，军刀、手枪……"

"你需要手枪吗，美津？"

"可是，隔壁的二郎说过，成为坏蛋的时候需要的。"

"啊，坏蛋啊！那个，美津，成为坏蛋可不好哦。"

"圣诞老爷爷也会去二郎家吗？"

"嗯，会去的！"

"但是，二郎家没有烟囱啊！"

"没有烟囱的话，老爷爷会从天窗进去的哦。"

"啊，是这样的啊，那么我不要手枪了。"

"好了，美津，快去院子里玩吧。"

美津立刻到院子里去叫二郎了。

"二郎，你给圣诞老爷爷写信了吗？"

"我不知道啊！"

"哎呀，没有寄信啊！我妈妈给他寄信了哦，上面写着'请给我带来口琴、玩偶、缎带、小刀等玩具'。"

"老爷爷会送来这些东西吗？"

"哎呀，二郎你不知道啊？"

"哪里的老爷爷？"

"圣诞老爷爷啊。"

"圣诞老爷爷，是哪里的老爷爷？"

"从天上来的。在圣诞节的晚上出现。"

# 远方的彩虹

[日本]滨田广介 著　孟慧娅 译

雨后，天空出现一道彩虹。

田野里的青蛙看到了，想抓住它。可是，他跳呀，跳呀，跳了几次，怎么也够不着。

"真高呀。"

青蛙不再扑向彩虹了，泄气地蹲下来，望着彩虹的最高处。当他慢慢地把视线移到彩虹的下方时，发现彩虹好像是从田野的池塘中长出来似的。

"啊，好极了！是从池塘里长出来的。要说池塘，那里就像是我的家，从我的家长出美丽的彩虹来了啊。"

青蛙高兴了，他又一蹦一跳地向池塘跑去。如果彩虹是从池塘里长出来的，他想：只要跳进池塘，游着水就能抓住彩虹的根子了。

"抓住了以后，就爬上去。"

青蛙就这样决定了，他沿着田间小路一蹦一跳地跑起来。

路边，站着一位头戴草帽、手拿锄头的老爷爷，是一个农夫。

"喂，小青蛙，你为什么跑得这么快呀！"老爷爷问。

青蛙没有回答，但却停下来喊道："从池塘里长出来了呀，看呀！从池塘里。"

老爷爷不明白是怎么一回事。"什么从池塘里长出来了呀？"

"看呀，就是那个。"青蛙指着彩虹说。

老爷爷终于明白了。"哈哈哈，错了，错了。那个嘛——从这儿看去，像是从池塘里长出来，可是，那彩虹是在远方呀，在非常非常远的地方。"

"不，不，"青蛙用力地摇着头，就又急急忙忙地跳走了。他来到池塘边，一下子跳进了池塘。水面上泛起了一圈圈的波纹。青蛙在波纹中间游着。他游呀游呀，觉得就要接近彩虹了，可是一看，彩虹的根子又在前面远远的地方了。

"奇怪，池塘里竟没有彩虹了。"

彩虹又好像是从远方的大森林中长出来的。它的根部模模糊糊、朦朦胧胧地挂在空中。

# 金斧头

中国民间故事

　　一个樵夫坐在河边哭，路过的神仙看见了，问他："你为什么哭？"樵夫说："我的斧头掉进河里，我没法砍柴了。"神仙说："我可以帮你把斧头找回来。"说完，神仙就跳入河里不见了。

　　一会儿，神仙从河水里探出头来，手里拿着一把金光闪闪的斧头，问樵夫："你掉的是这把斧头吗？"樵夫一看，那是一把金子做的斧头，他马上说："不是，这不是我的，我的斧头是铁做的。"

　　又过了一会儿，神仙又从河水里冒出来，拿着一把银光闪闪的斧头问他："你掉的是这把斧头吗？"樵夫摇头说："不是，我的斧头是铁做的，不是银做的。"

　　最后，神仙拿着一把又旧又老的斧头跳出水面，问樵夫："这是你掉的斧头吗？"樵夫很高兴地说："是的！是的！谢谢你！"

　　神仙说："你很诚实，这另外两把斧头也送给你吧！"说完就不见了。于是，樵夫拿着三把斧头回家去。

　　樵夫的邻居听到这件事，以为只要丢一把斧头到河里去，就可以带回三把斧头，于是也把斧头丢进河去，然后坐在河边大哭。

　　神仙又出现了，邻居告诉神仙自己掉了三把斧头在河里。

　　"这是你的吗？"神仙拿出一把金斧头。

　　"是！是！"邻居高兴地说。

　　"这也是你的吗？"神仙再拿出一把银斧头。

　　"对！对！"邻居又连忙答应。

　　"这个呢？"神仙拿着一把旧斧头。

“这个……也是我的。”邻居说。

神仙说：“你真的掉了三把斧头在河里吗？你太贪心了吧！”然后，“咻”的一声，神仙和那三把斧头都不见了。

# 卡罗尔和她的小猫

[美国]梅布尔·瓦茨 著　陈苏 译

卡罗尔一直想有一只小猫。

爸爸对卡罗尔说："那我们就在报上登个广告吧。"

广告登出来了，是这样写的："我们非常需要一只小猫。我们会给它安排一个舒适的家，会很好地照顾好它。请问您有多余的小猫吗？"

卡罗尔端出一碟牛奶，还有一碟点心。她又把旧的软垫放在一个篮子里，就待在家里等起小猫来。丁零零，门铃响了，进来的是一个提着篮子的男孩。他说："我家的猫生了三只小猫，我送给你一只。它叫洛洛。"这是一只黑白相间的花猫。

卡罗尔接过小猫，送走了小男孩。小猫喵喵叫着，卡罗尔说："别难过，我会照顾你的。"卡罗尔让小猫喝牛奶，吃点心，还让它玩绒线团。

丁零零，门铃又响了，一个小女孩抱着一只小猫走进来。她放下小猫，跟她妈妈一起走了。

不一会儿，门铃又响了，进来一位叔叔，真滑稽，他的每个衣袋里都有一只小猫。他一蹲下，小猫就扑扑地一个个跳出来，朝屋里跑。

卡罗尔笑了，小猫们真是太有趣了。

打这以后，门铃一直响个不停，好多小猫都来了，什么样的都有。

晚上可不得了了，小猫在钢琴上跳来跳去，叮叮咚咚响成一片。小猫钻进抽屉里、衣柜里。有人从门外进来，门后会突然扑出一只小猫，吓人一大跳。

爸爸从自己的每只拖鞋里都捉出一只小猫来。他摇着头，说："太多啦！太多啦！这可不行，得想个办法。"

第二天，爸爸又在报纸上登了个广告：免费赠送小猫。请赶快来挑选。

人们从四面八方赶来了。卡罗尔很伤心，整整一天，她都在和小猫告别。天快黑了，奶奶打来一个电话，叫卡罗尔帮个忙。卡罗尔出门的时候，家里还有三只小猫，等她回来的时候，一只小猫也没有了。

妈妈说："我都给弄糊涂了，怎么把所有小猫全送人了？我是想留下一只的。"

卡罗尔眼泪都流出来了。屋里什么声音也没有了，冷冷清清的，连滴滴答答的钟声都听得见。

忽然她听见了喵喵的叫声，一只黑白相间的花猫从厨房里跑出来。卡罗尔高兴地叫了起来："啊！是洛洛！"

洛洛亲热地用身子蹭着卡罗尔的手，好像在说："我藏起来，是不愿意给送掉，我想和你在一起。"

卡罗尔终于有了一只她自己的小猫。

# 月亮人

[美国]莱曼·弗兰克·鲍姆 著　董宇虹 译

月亮人挺寂寞的。他常常在月亮边上探出头来，看着下面的地球，羡慕大家能够生活在一起。有一天，他往下面张望时，看见一个市政官在空中飘着，往自己的方向靠近。市政官正在被传送到另一个星球去。他经过月亮人的身边时，月亮人对他喊话："地球上怎么样啊？"

"一切都是那么可爱。"市政官回答，"我是被迫离开的。"

"下面有什么好玩的地方？"月亮人问。

"这个嘛，诺里奇就是一个非常好的地方，"市政官说，"那里的豌豆粥很有名。"说完，他飘走了。市政官的话让月亮人更想到地球上玩了。他一边琢磨，一边回家，往炉子里添了几块冰取暖，然后坐下来思考有什么办法能去地球。在月亮上面，一切都是反的。如果要取暖，就敲几块冰放进炉子里；如果想让罐子里的水快点凉下来，就掏几块烧得发红的煤团丢进去。如果觉得冷，摘下帽子和外套、甚至脱掉鞋子，就可以暖和起来了；但是在炎热的夏日，就要披上外套才能凉快。

现在，他坐在冰冷的炉火旁，构思前往地球的旅行计划。最后，他决定，唯一的方法就是顺着月光滑下去。于是，他离开家，来到月亮边缘。终于，他找到一缕看起来十分结实的月光。月光的另一头，是地球上面一处看上去还不错的地方。他翻身爬出月亮边缘，双手紧紧抱住月光，开始往下滑。

这时候正是早晨，太阳初升，温暖的阳光照在月亮人身上，让他凉快了一些。他心想，这里是地球上的哪个位置呢？

　　过了一会儿，有一位农夫赶着几匹马，拉着一辆装满干草的马车，沿着河边的道路走过来。月亮人以前只从月亮上远远地看见过马。所以，近距离看见马的时候，月亮人觉得它们的样子非常怪异，他吓坏了。但是，他还是鼓起勇气，对农夫说话。"先生，可以告诉我去诺里奇该怎么走吗？"

　　"诺里奇？"农夫若有所思地反问着，"我不知道精确的位置，不过，应该是在南边。"

　　"谢谢你。"月亮人说——噢，我不该继续叫他"月亮人"了，因为他已经离开了月亮啊。所以，我就称呼他为"那个人"吧，你知道我指的是谁。

　　现在，月亮——我是说那个人——那个人走到路上，精神奕奕地往南方出发。他决心听从市政官的建议，到诺里奇去尝一尝那里出产的著名的豌豆粥。他走了很远很远，走得很累很累，终于来到了诺里奇。他在遇到的第一座房子前停下脚步，因为他已经很饿很饿了。

　　他敲敲门。一位妇人走来为他开门。他礼貌地问："女士，这里是诺里奇吗？"

　　"当然是的。"妇人回答。

　　"我来这里，想尝尝豌豆粥。"那个人继续说，"我听说你们镇子煮的豌豆粥是全世界最好吃的。"

　　"没错，先生。"妇人说，"请进来，我请你吃一碗。我家里有很多，都是刚刚煮好的。"

于是，他谢过妇人，走进屋里。妇人问："先生，你想要热的还是冷的？"

"请一定给我一碗冷的，"那个人回答，"我不喜欢吃任何热的食物。"

她很快端来一碗冷豌豆粥。那个人饿极了，立刻舀了一大勺往嘴里送。

可是，他刚刚把豌豆粥放进嘴里，就大叫一声。因为，地球人的冷豌豆粥对于他来说，当然就变成了热的。满满一大勺的冷豌豆粥把他的嘴巴烫出了一个水疱！

"你怎么了？"妇人问。

"怎么了！"那个人尖叫，"还问我？你的豌豆粥那么烫，烫死我了。"

"胡说八道！"她回答，"这碗豌豆粥很凉了呀。"

"你自己吃吃看！"他叫道。于是，她尝了尝，觉得很凉、很适口。但是，那个人看见她吃下能把自己的嘴巴烫出水疱的豌豆粥，吓坏了。他逃出屋子，沿着街道拼命狂奔。

第一个路口的警察看见他在跑，马上逮捕了他，把他押到地方官面前受审。

"你叫什么名字？"地方官问。

"我没有名字。"那个人回答。他是月亮上面唯一的一个人，当然不需要有名字。

"你呀、你呀，不要胡说！"地方官说，"你肯定有名字。你是什么人？"

"我是月亮上的人。"

"胡说！"地方官严肃地瞪着囚犯，"你是个人没错，可是你不在月亮上，你在诺里奇。"

“没错。”那个人回答，被地方官的说法弄得晕头转向。

“而且，你肯定有个称呼。”地方官继续。

“这个嘛，”囚犯说，“如果我不是月亮上的人，那我就是月亮下的人了；您就这样叫我吧。”

“很好，”地方官说，“现在，说说你从哪里来？”

“月亮。”

“哦，真的吗？那你是怎么来到这里的呢？”

“我顺着月光滑下来。”

“真的？那么，你为什么要逃跑？”

“有一位妇人请我吃凉豌豆粥，可是，我的嘴巴却被烫伤了。”

地方官惊讶地打量着他，过了一会儿，说：“这个人显然已经疯了。把他送到疯人院，关在那里吧。”

要不是现场有一位老天文学家，那个人肯定就被送到疯人院去了。那位老人家常常用望远镜观察月亮，他发现，地球上的热是月球上的冷，而这里的冷是那里的热；他觉得那个人说的可能是真话。因此，他请求地方官稍等一下，让他用望远镜看看月亮人还在不在月亮上。这时候已经是夜晚了。天文学家请人把自己的望远镜取来，往月亮上一看——那里根本就没有人！

“看来是真的，”天文学家说，“月亮人不知怎地离开了月亮。先生，让我看看你的嘴巴是不是真的烫伤了。”于是，那个人张开嘴巴。每个人都清楚地看见里面烫出了一个水疱！因此，地方官请他原谅自己的怀疑，问他接下来打算做什么。

“我想回到月亮上，”那个人说，“因为我一点儿也不喜欢你们的地球。夜晚太热了。”

“什么呀，今天晚上很凉快呀！”地方官说。

　　天文学家提议："去年夏天，有一个马戏团到我们镇子里表演，后来他们用一个大气球抵押给我们镇子还债。我们可以把这个气球充满气，送你回到月亮上的家。"

　　"好主意。"地方官说。于是，人们把气球翻出来，充满了气。那个人坐进篮子里，请大家放手。气球飞上了天空，朝着月亮飞去。

　　诺里奇的好心人们站在地球上，仰着脑袋，看着气球越飞越高。终于，那个人从气球里伸出手，抓住月亮边缘。看呀！他一下子就回到月亮上，又是月亮人了！

　　经过这趟冒险之后，他再也不愿意离开家了。

# 鹅太太洗澡

[美国]米里亚姆·克拉克·波特 著　乔长森 译

　　鹅太太记性不大好，总爱忘事。她苦恼地说："我的记性弄丢了！唉……"

　　一天晚上，鹅太太想洗个澡。她把绿色的澡盆放在地板中央，把水壶放在炉子上，然后拿出两块又大又软的毛巾和一块粉红色的肥皂。接着，她坐在椅子上一边读《动物晨报》，一边等着水热起来。鹅太太读了一则很精彩的故事，一直"咯咯咯"地笑不停。她又看了几幅画，想着夏天去旅游的事儿。读着读着，她把洗澡的事儿给忘了。

　　等她想起来，就大喊道："不好！我的水！"这时，她想起了烧着的水，就赶紧跑到炉边去瞧瞧，水已经沸腾了，正好用来洗澡。她捂着胸口，舒了一口气，说："还好，还好。"

　　她把毛巾、肥皂、衣服、拖鞋都放在澡盆边的椅子上。

　　"哎呀，"她叫了起来，"我还得要一条浴巾呢。"

　　她取来绣着花的蓝色浴巾，然后一下跳进浴盆里。

　　"肥皂拿来了，浴巾也在这儿，"鹅太太自言自语地说，"可是，这不太像洗澡哇。我这是怎么啦？"她实在想不起来，自己这是要做什么。她自言自语道："是要用肥皂擦洗身子？难道是用浴巾把我的羽毛擦洗干净？对！就是这样！"

196

她开始用浴巾擦自己的羽毛。

"洗澡真有趣，"她说到，"好像有点不对劲。肥皂、浴巾、我自己。对呀，都在这个盆里，但是总觉得有点儿问题，不太像洗澡。"她边洗边说。

正在这时候，她听见窗外一阵嘎嘎的叫声。这个声音，她最熟悉不过了，这是邻居那三只鸭子。

鹅太太立刻跳出浴盆，奔到窗边。她把长长的头颈伸了出去。

"喂，你们好！"她叫道，"请进来吧，三位鸭子，请告诉我，我这次洗澡是怎么啦，好像出了什么问题。"

三只鸭子看看鹅太太那滑稽的样子，都"嘎嘎嘎"地笑开了。

"大概你把肥皂忘了。"他们告诉她。

"不，肥皂在这儿啊。"

"好吧，"三只鸭子说，"我们就进你屋去看看，究竟是怎么回事。或许我们能找出问题在哪里。"于是，他们三个摇摇摆摆地走了进去。

厨房地板的中央放着一个绿色的小澡盆。衣服、毛巾、浴巾和肥皂也都在。炉子上还搁着水壶呢！

三只鸭子瞅了瞅澡盆，又瞅了瞅鹅太太，不约而同地笑了起来。

"你们不要笑嘛，不要笑了。我是请你们来帮我的，我总觉得有点不太对劲。不要笑我了，快告诉我吧。"鹅太太请求道。

三只鸭子笑到停不下来，最后才说："水，鹅太太！你忘了往盆里倒水啦！"

# 小蜗牛找房子

石春让 著

小蜗牛背个大房子。房子沉甸甸的。他走起路来慢吞吞的，无论到哪儿去，都要走很长时间。

小蜗牛对妈妈说："我们为什么出门一定要带房子呢？"蜗牛妈妈说："带着房子多好呀。不管什么时候，只要想休息，都可以舒舒服服地睡在自己的家里。"

小蜗牛说："可是我们不能像别人那样到很多地方去，干很多事。我出门不带房子了。"蜗牛妈妈说："千万不能这样。"

小蜗牛把房子一扔，出门找新房子。

小蜗牛看见蚯蚓大婶正在翻土，上前问道："蚯蚓大婶，你出门不带房子，住在哪里呀？"

蚯蚓大婶说："我可以在土里钻来钻去，想到哪里就到哪里。休息的时候，到了哪里，哪里就是我的家。"

小蜗牛说："我也能像你那样多好呀。"说着，他也学蚯蚓大婶钻土，可就是钻不进去。蚯蚓大婶笑着说："你看，我的头要比身体坚硬一些，钻土又快又轻松。"小蜗牛叹了口气，说："我怎么就没有坚硬的头呢？"

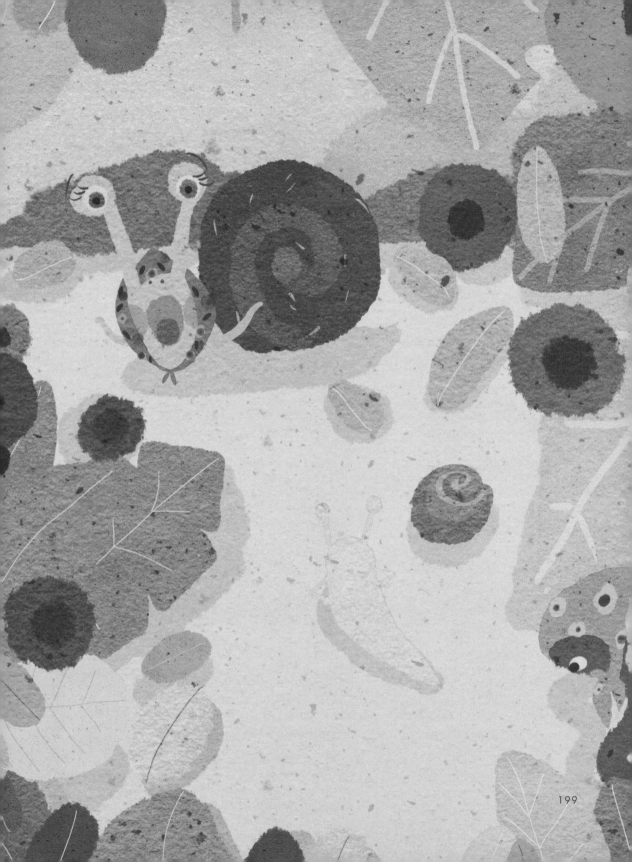

小蜗牛继续找新房子。他看见七星瓢虫飞过来，上前问道："七星瓢虫大姐，你出门不带房子，住在哪里呀？"

　　七星瓢虫说："我背上有个薄薄的盔甲，盔甲下面又有一对翅膀，想飞的时候，张开翅膀，想飞到哪儿就飞到哪儿。休息的时候，翅膀收起来，身体缩到盔甲里，盔甲就成了我的家。"

　　小蜗牛说："我也能像你那样多好，可是我没有盔甲和翅膀呀。"

　　小蜗牛继续找新房子。他看见蜈蚣迈着大步跑过来，上前问道："蜈蚣大哥，你出门不带房子，住在哪里呀？"

　　蜈蚣说："我身体下面长着很多脚，想到哪儿去，每只脚都加一把劲，就能飞快地跑起来。休息的时候，脚都缩到身体下面，就变成了我的床。我身体的表面还有一层毛

刺，休息的时候，毛刺竖起来，变成一个帐子，既挡风又挡雨，那就是我的房子呀。"

小蜗牛说："我也能像你那样多好，可是我没有那么多脚，也没有那样的毛刺。"

小蜗牛继续找新房子。哗啦啦，下大雨了。小蜗牛被雨淋得透湿。他又害怕又伤心。雨越下越大，地上形成了很多小溪流，小蜗牛在小溪流中漂过来漂过去。他吓得哇哇大哭起来。

"好孩子，别哭，妈妈来了。"小蜗牛的妈妈来了，还给他送来了房子。

小蜗牛躺在自己的房子里，真舒服。蜗牛妈妈说："每个人都有自己的特殊本领，可不能扔了呀。"

小蜗牛说："我知道了。我们的特殊本领就是可以背着房子走来走去呀。"

# 粉红色的小玫瑰

[美国]沙拉·科恩·布歌恩特奇 著 李毅 译

最开始，有一个小小的粉红色玫瑰花骨朵，住在地底下一间小小的黑屋子里。

一天，她坐在那儿，突然听到一阵轻轻的"嗒嗒嗒"声打在门上。

"外面是谁啊？"她问。

"是雨滴，我想进来，可以吗？"一个柔软又略带哀伤的声音轻轻地说。

"不，你不能进来。"

一会儿，她又听到一阵"嗒嗒嗒"声敲在窗棂上。

"窗外是谁呀？"

还是那个软软的声音回答道："是雨滴，我真的很想进去。"

"不行，你不能进来。"

接着便是一段好长时间的寂静。最后，她听到了轻轻的沙沙声，还有人在悄悄说话。

"外面是谁啊？"小花骨朵问。

"是阳光。"一个暖洋洋的声音问道，"我想进来，可以吗？"

"不，不行，"粉红色的小玫瑰说，"你不能进来。"她依然坐在那儿，一动不动。

一会儿，她听见门上的钥匙孔里传来一点点声音。

"谁在那儿？"她问。

"是阳光呀！"一个欢快的声音说道，"我想进来。"

"不不，我不让你进来。"小玫瑰连连说道。

渐渐地，那些声音在窗棂、门外、锁孔里来来去去。

"我们是雨滴和阳光。"两个小小的声音说，"我们要进去，可以吗？"

小玫瑰花骨朵说："如果只是你们俩，或许可以让你们进来。"

然后她把门打开了一道小小的缝隙，雨滴和阳光都进来啦。

他们牵起小玫瑰的手，跑呀跑呀。小玫瑰跟他们一起跑到了外面的地上。

他们说："把你的脑袋挺起来吧。"

# 小杰克摇摇

[德国] 狄奥多·施笃姆 著　蔡美雅 译

　　从前，有个小男孩，他睡在妈妈大床边上的矮床上。矮床的下面有轮子，可以摇来摇去。每次妈妈要睡觉，他都会大喊："摇摇我！摇摇我！"妈妈就会从大床那边伸出手来，摇啊摇。可是，每次妈妈都摇到累了，小男孩还觉得不够，因此人们叫他"小杰克摇摇"。

　　有一天晚上，妈妈已经摇了很久，后来自己不知不觉睡着了，小杰克就一直哭着说："摇摇我！摇摇我！"于是，妈妈在睡梦中继续摇他，直到她又睡熟了，才停下来。但是，小杰克摇摇还是一直哭着说："摇摇！摇摇！"

　　月亮透过窗户看到了有趣的一幕：小杰克摇摇躺在床上，抬起一条胖墩墩的腿当成桅杆，把小衬衫的一角系在腿上，当成帆；然后他用尽力气吹了一口气，一边说："摇啊摇。"

　　慢慢地，他的小床像船一样驶了起来。"继续！继续！"小杰克摇摇喊着。小帆船以更快的速度，驶上了墙壁，穿过天花板，接着从墙壁上下来，来到地面上。小杰克摇摇看到了月亮，就喊："月亮婆婆，把门打开！我要驶到镇上去，让人们看看！"

　　月亮没办法把门打开，但是她透过锁眼，照进一道宽阔的光束。小杰克摇摇乘着他的矮床帆船，沿着光束，穿过锁眼，来到街上。"月亮婆婆，给我点光，"他说，"我想让人们看见我。"

　　于是，好心的月亮照着他，跟他一起前进。他乘着矮床帆船穿过市政厅、学校和教堂，但是没人看见小杰克摇摇，因为大家都在睡觉。

　　"为什么没人看我？"他喊道。

　　教堂尖塔上的风向标说："现在可没人在街上，大家都在睡觉呢。"

　　"那我要去树林里，这样动物们就可以看到我了。"小杰克说，"月亮婆婆，给我点光。"

好心的月亮照着他，他们进了树林。"摇啊！摇啊！"小男孩喊着。于是，带轮子的床在树木间穿梭起来，吓跑了金花鼠，连树上的叶子都给吓着了。可怜的月亮婆婆觉得有点累了，因为树干挡住了她的去路。每次她落后一点，小杰克就催她："快点，月亮婆婆，我要让动物们都看到我！"

但是，所有的动物都在睡觉，根本就没看到小杰克摇摇，除了一只白色的老猫头鹰，她问道："你是谁？"

小杰克不喜欢她，于是就更用力地吹着帆。

"我必须回家了，很晚了。"月亮说。

"我要和你一起走，给我照出一条路！"小杰克摇摇说。

于是，好心的月亮照出一条通向天上的路，接着小床就驶上了天空。天空中到处都是明亮的星星，他们提着美丽的小灯笼。淘气的小杰克摇摇看见了，就开始捉弄他们。

"闪开！我来了！"他大喊着，然后撑着帆船横冲直撞，星星们的灯笼都被撞熄灭了。天空也暗下来了。

"不要这样捉弄小星星。"好心的月亮说。

但是小杰克摇摇却变本加厉，朝月亮婆婆冲过去，直接撞在了她的鼻子上。

好心的月亮婆婆受够了，立刻熄灭了光亮，整个天空一片漆黑。小杰克摇摇喊道："月亮婆婆，给点光。"但是月亮婆婆没有回答。小杰克就在天空中左冲右撞，最后跌倒在云间。

突然，他看见天空的尽头有一团黄色的光亮，他以为是月亮，就朝着那个方向驶去。

但是，那根本就不是好心的月亮婆婆，而是刚从海里升起来的太阳。

"啊哈，小家伙，你在我的天空中做什么？"太阳说完，就拎起小杰克摇摇的帆船，放进大海里了。

听说，直到现在，小杰克摇摇还在大海里航行呢。

# 会打喷嚏的小火车

[德国] 埃斯特·麦金 著  冯化平 译

　　山里的孩子们非常喜欢小火车。每天早上，小火车就会咔嚓咔嚓地从山下开到山上来。在小火车没有到达这个宁静的乡间之前，孩子们早就听到了它那特别的鸣叫声。

　　其他的火车总是呜呜地叫，可是这辆小火车的声音却特别奇怪，呜……哈欠……哈欠……哈欠，它就是这样鸣叫着从山下爬上来，所以，孩子们都叫它"会打喷嚏的小火车"。

　　这辆小火车十分喜爱这绿色的小山和田野里那些可爱的牛马，它也喜欢注视着它的老朋友——那条匆匆忙忙地朝大海奔去的山间小溪。

　　小火车也爱它每天经过的美丽花园和白色小屋。锃亮的铁轨宛如一条银蛇盘山而

上。当小火车绕着弯弯的铁轨行驶时，它总喜欢叫着："加油！加油！"

它的头一会儿从这边冒出来，一会儿又从那边露出来。当它快速地朝山下冲去时，总是高声地叫道："多么有趣啊！多么有趣啊！"当它呼啸着往山顶爬去时，它又总是不停地对自己说："加油！加油！"小火车到达山顶，它向所有的孩子亲切地招呼致意。

"小火车来啦！小火车来啦！"一些孩子坐在栅栏上向它挥舞着双手，一些孩子则从他们那白色小屋的窗子里向它招手，还有一些孩子甚至在它的后面追赶着。他们齐声叫道："小火车，等一等！"可是小火车继续向前行驶，不住地发出"哈欠——哈欠——哈欠"的声音。当然孩子们是追不上小火车的，它跑得太快了。

不一会儿，它便在山脚黑乎乎的隧道里消失了——犹如兔子消失在地洞里一般。

在整个世界上，它是一辆最出色的小火车。它总是那样的准时、那样的快乐，而且还是一辆最快乐、最可爱的小火车。

一天，小火车像往常那样欢快地在铁轨上行驶着，它爬上一座小山，又从山上爬了下来，然后从一排排白色的小屋旁驰过。这时，一件意外的事情发生了，它在一座高高的大桥前突然停了下来。小火车停得那样突然，以致把车上的一些旅客从座位上抛了出来，使他们摔倒在过道上。

火车司机大吃一惊，这可不像小火车的举止啊！究竟出了什么毛病？

火车司机哄啊，劝啊，可小火车就是不肯动一下，它只是哼上几声，然后又静静地躺在原地。猛地，只听有人大声喊了起来："噢！快看大桥！大桥倒塌啦！"一点儿不错，那座大桥就在人们的眼皮底下掉进了深深的河水之中。这下，大家才知道小火车为什么这么固执了。要是它不停下的话，所有的乘客早就掉到河里了。大家都为自己死里逃生而庆幸，他们都非常感激小火车，是它救了他们的命！那天，小镇里所有的人都从家中跑出来观看他们的英雄。当镇长把一枚金光闪闪的新奖章授予小火车时，乐队奏起了音乐，全镇的居民都拍着手，合着音乐的节奏挥舞着小旗。孩子们用五彩缤纷的小旗与飘带把小火车装扮得无比漂亮。

"让我们为小火车欢呼三声！"孩子们异口同声地说，"好哇！好哇！好哇！我们的小火车。"

小火车此时感到十分高兴与自豪，它披着满身的小旗与彩带缓缓地离开了。所有的居民不停地向他们的英雄挥手，直至小火车从他们的视线中完全消失。

211

# 逃家小兔

[美国] 玛格丽特·怀兹·布朗 著  黄迺毓 译

从前，有一只小兔子，他不想在家待了。于是，他对自己的妈妈说："我要逃跑了。"

"如果你跑了，我一定会追上你，因为你永远是我的小兔子。"他妈妈说道。

"如果你追上我，我就变成一条小鱼，跳进冰凉凉的小溪，从你身边游开。"小兔子说。

"如果你变成一条冰凉凉小溪中的鱼儿，我就变成一个渔夫，我会抛下鱼饵等着你。"妈妈说。

"如果你变成一个渔夫，我就变成一块石头，在高高的山崖上，让你够不着。"小兔说。

"如果你变成一块高高的山崖上的石头，我就变成一个登山的人，我会爬上山顶，找到你。"妈妈说。

"如果你变成登山的人，我就变成一朵小红花，藏在一个秘密的花园里。"小兔说。

"如果你变成一朵小红花，我就变成一个园丁，我会在花丛中发现你。"他的妈妈说。

"如果你变成一个园丁，发现了我，我就变成一

只鸟儿，从你身边飞走。"小兔说。

"如果你变成一只鸟儿，从我身边飞走，我就变成一棵树，让你来我枝头做窝。"妈妈说。

"如果你变成一棵树，我就变成一艘小船，扬着帆，离开你。"小兔说。

"如果你变成一艘小船，扬帆离开我，我就变成风吹着你，让你开往回家的方向。"妈妈说。

"如果你变成吹着我的风，我就去参加马戏团，做个空中飞人，在你摸不着的地方荡秋千。"小兔说。

"如果你去做空中飞人，我就做一个走钢丝的人，我会在空中遇见你。"妈妈说。

"如果你变成一个走钢丝的人，向我走来，我就变成一个小男孩，跑进大屋子里躲起来。"兔子说。

"如果你变成一个小男孩，跑进大屋子里，我就变成你的妈妈，用双手捉住你，把你抱在怀里。"妈妈说。

"啊！"小兔子说，"也许我还是待在这儿，做你的小兔子吧。"

他也真的这么做了。

"来，吃根胡萝卜吧。"兔妈妈说道。

# 夜晚不睡觉的星星

佚名 著

夜晚来临了，大家都困了，要睡觉了。

星星也困了，也好想睡觉，可是它总是不睡，只是一个劲儿地眨着眼睛，想把睡意赶走。星星困了为什么不睡呢？原来，它是为了一朵花，一朵小小的丁香花。那朵小小的丁香花实在是太小、太不起眼了，它只敢在晚上开放。到了晚上，小小的丁香花悄悄地打开薄薄的花瓣，伸出细细的花蕊，静静地开了。

星星静静地看着它，把星光洒在小小的丁香花的身上，它看上去好美呀！

终于有一天，星星对小小的丁香花说："你挺漂亮的呀，身上还有淡淡的香味呢！"小小的丁香花听到了星星的夸赞，开心地笑了……

夜很深很深了，星星没有睡，它在天上陪着小小的丁香花。小小的丁香花儿也没有睡，它准备在天亮以后的阳光里，勇敢地绽放自己的美丽了……

# 蓝领带

[英国] 亨利·贝斯顿 著　顾惜之 译

　　有一天，花粟鼠杰米在林子里发现了一条蓝领带。它有着杰米见过的最美的颜色，他一眼就喜欢上了，可是领带的一头有个破洞。于是，杰米拿着领带去找裁缝。裁缝是一只蜘蛛。

　　蜘蛛裁缝小心地拿起领带摸了摸。

　　"这领带可真漂亮，花粟鼠先生。"他说，"我都不知道自己何时能做出比它更好的。不过这个三角破洞需要缝上一块补丁，但我没有颜色质地相配的布料。"

　　蜘蛛裁缝说的这些让杰米更加这条领带了。于是他把领带放进兜里，出发去找相配的布料。

　　但不管往北还往南，向东还是向西，他都没找到这么漂亮的蓝色布料。最后，他

去拜访了睿智的土拨鼠。

在土拨鼠洞穴前的坡地上，杰米找到了正在玩拼图游戏的土拨鼠。土拨鼠抬起脑袋向他匆忙地点了下头，就接着低头玩拼图了。

"我过来是想请教你，哪里能找到和这条领带相配的布料。"杰米说。但土拨鼠只是移动了一块拼图，看到形状不符，又把它拿起来，摇头叹了口气。接着，他又拿起另一块拼图放在这里，但还是不对。

杰米有一双非常敏锐的小眼睛，他一眼就看到了那块正确的拼图，把它指了出来。

土拨鼠高兴得站起来跳了段吉格舞。

"一个月来，我一直在找这块拼图。"他喊道。"好了，让我看看，你刚才是不是问了我一个问题？"

于是杰米重复了那个问题，土拨鼠想了好一会儿。

最后，他开口说："在大山上，有一棵世界上最高的树。虽然我自己是爬不上去的，但我想，你到了那棵树上，就能够看到世上的一切。"

于是，杰米谢过土拨鼠，就去找那棵树了。

首先，他得爬上大山，对花栗鼠来说，这是非常困难的事。但他还是爬到山上，见到了那棵大树。大树长得那么高，连云朵都被树枝勾住，在树枝间缠绕。

杰米收紧裤腰带，开始爬树。他爬呀爬，爬了一天又一天。如果这不是橡树，天晓得会发生什么事。正因为它是橡树，所以可怜的杰米每到筋疲力尽的时候，总能找到些吃的东西。每天晚上他在树杈上睡觉，都会把一只爪子放在衣兜里，确保那条珍贵的蓝领带安然无恙。

最后，他爬到了树顶上，上面是一个用树枝搭建的绿色房间，里面有一些人正在喝茶。你可以想象，他们看到有一只花栗鼠爬上来，是多么地惊讶。杰米把自己的故事告诉他们，还给他们看了那条蓝领带。

"噢，领带修补起来非常容易。"其中一个人说，"你这么勇敢，我们至少应该帮你一把。"他从口袋里拿出一把剪刀，剪下一大片天空，交给了杰米。

说真的，从树上下来的路似乎很短，杰米用四条腿能跑起来的最快速度跑下大山，去找蜘蛛裁缝。蜘蛛立刻开始缝补，八根针一齐上阵，一会儿就补好了。

这块补丁真是和领带般配极了。在白天，就连眼尖的花栗鼠也看不出领带上曾经有个破洞。不过，到了晚上，那块补丁会变成黑色，里面还有星星在闪耀呢。

# 笑口难开的公主

俄罗斯民间故事　佘戚夷 译

你想想，地球有多大！地球上住着有钱人，还住着穷人，也不显得挤。有钱人大吃大喝，天天过年；穷人没吃没喝，朝夕出卖苦力。

一位漂亮的公主，住的是皇宫里的高楼大厦，房子又宽又大，摆设富丽豪华。她享尽富贵荣华，应有尽有，可是从来不见她笑一笑，好像见什么都不高兴。她的父亲是国王，见女儿老是闷闷不乐，心里很难过。他打开宫庭的大门，大宴宾客，愿意去的人都可以参加。他还宣布："谁能想出办法，使我女儿高兴高兴，我就把女儿嫁给谁。大家可以试试。"

国王的话传出来，很多人来到宫庭出谋献策，把门都要挤破了。客人来自四面八方，有王子，有贵族，有将军，也有普通老百姓。有骑马坐车来的，有步行走路来的。国王摆开宴席，喝酒行令，公主还是没有笑容。

在一个很远的地方，有一个老实巴交的长工，他上午打扫院子，下午放牲口，忙个不停。主人很有钱，为人还算正直，工资不叫长工吃亏。一到年底，他就把一袋钱放在桌上，对长工说："自己拿吧，想要多少拿多少。"主人说完走出门去了。

长工走到桌子边想了想：要对得起上帝，不能多拿。他只要了一块钱，放进嘴里。他想喝水，走到井边弯下身子，钱却掉进井里，沉到井底。

长工像没有事似的——换个人会哭起来，垂头丧气，他却满不在乎。

"一切都是上帝给的，"他说，"上帝知道给谁钱，把谁的财产收走。看来是我不勤快、干活少，我要更加卖力。"

他继续干活，干得又快又好。过了一年，到了年底，主人把一袋钱放在桌上说："自己拿吧，想要多少拿多少。"主人说完走出门去了。

长工又想开了：要对得起上帝，不能多拿。他只拿了一块钱，去喝水，不小心把钱掉进井里，沉到了井底。

他更加卖力干活，晚上睡得少，白天吃得少。你一看就明白，有人的麦子黄了，他主人的庄稼长得又绿又壮；有人的牛羊瘦得腿走不动路，他主人的牲口能上街踢人；有人的马拴在山脚，他主人的马笼头都不套。主人明白，应该奖励什么人，感谢谁。

第三年过去了，又到了年底，主人放一堆钱在桌子上说："自己拿吧，想要多少就拿多少，你干了活，应该拿钱。"主人走出去了。

长工还是只拿了一块钱，到井边喝水。他看了一下，钱还在，以前的两块钱也浮上来了。他捡起来想了想：这是上帝给的工钱。他高兴极了，想去看看世界，认识一些人。

他没有目的地走，走到田野上，一只老鼠对他说："好叔叔，给我一块钱，你会用得着我的。"他给老鼠一块钱。

他走进树林，一只螳螂对他说："好叔叔，给我一块钱，你会用得着我的。"他

给蟑螂一块钱。

他游水过河，一条鲶鱼对他说："好叔叔，给我一块钱，你会用得着我的。" 他二话没说，把最后的一块钱给了鲶鱼。

他来到城里，到处是人，到处是房子。他往四周看了一下，迷糊起来了，不知道往哪儿走。前边有座宫殿，金碧辉煌，笑口难开的公主坐在窗前，一眼就看见了他。怎么办？他感到两眼模模糊糊，想睡觉，跌倒在烂泥地上。 不知道怎么搞的，长胡子鲶鱼突然来了，后面跟着蟑螂和老鼠，都跑到他身边来侍候。老鼠给他脱衣服，蟑螂给他刷靴子，鲶鱼给他赶苍蝇。

笑口难开的公主看着看着，突然笑起来了。

"是谁，是谁把我的女儿逗乐了？"国王问。

人人抢着说是自己。

"不对！"公主说，"是这个人。"她指着长工说。

马上有人把他接进皇宫，长工在国王面前变成漂漂亮亮的小伙儿。国王遵守自己的诺言，说话算数。

我说，你们是不是以为长工在做梦？不，不是，我向你们保证，这是真的，你们不要怀疑。

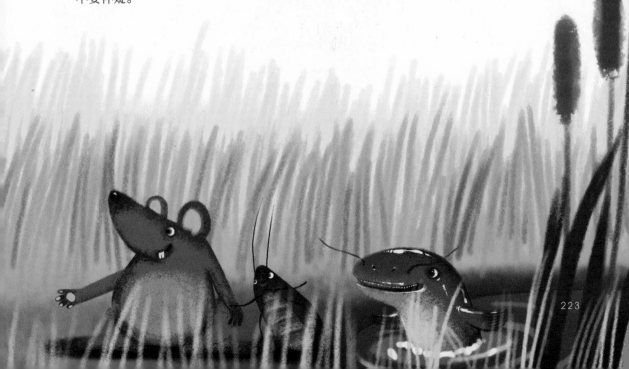

# 想很多的甲壳虫

[英国]唐纳德·比斯特 著　大敏 译

　　弗雷德叔叔住在威士文路八号。他家前厅里挂着他的照片。照片左边有一朵玫瑰养在玻璃瓶里，右边有一个小闹钟叫做泰玛。

　　"闹钟真是个没用的物件，"玫瑰自言自语道，"没有一丁点香味。只有那些闻起来香香的东西才是漂亮的。"

　　就在这时，一只黑色的甲壳虫爬了过来，他看了看玫瑰和闹钟。"嗯……他们可不是黑色的，对吧？"他暗自想道，"真可怜。"然后，他就走开了。他打算去看他外婆，今天刚好是外婆生日。

　　这时，窗户边飞来一只燕子，也看了看玫瑰和闹钟。"哈！不能飞的话，无论是滴答滴答，还是散发香味，都没什么用啊。有什么比飞翔更棒呢？"

　　"当然是游泳啊。"房间另一边的鱼缸里的金鱼说道。

　　"喵……"一只猫从窗户跳进花园里。

　　"吃……"隔壁花园里的猪喊道。

　　"摇晃树枝呀。"急驰而过的风轻声地说。

　　"让风吹起来。"花园里的树木齐声说。

　　玫瑰和闹钟还在争个不停，弗雷德叔叔进来找妻子。"那你有什么用？"所有东西都问道。"这个嘛，主要取决于你们怎么看这件事。"

　　"当然，"他妻子说，"我觉得，你可以用来亲吻。"于是，她就吻了他。

# 大胡子里的鸟窝

[爱沙尼亚] 恩诺·拉乌德克 著　韦苇 译

说起来，大胡子小矮人的胡子也真大，天凉的日子里，能当成棉被。

有一天，太阳把睡在林中空地上的大胡子小矮人唤醒。大胡子正要梳理他的胡子呢，嗨，忽然从他的胡子里飞出了一只小灰鸟。小灰鸟飞落在一根树枝上，蹲在那上头，愣愣地瞅着大胡子。大胡子只好躺在原地方，一动不动，这样小鸟就不会受惊了。

大胡子感觉，有什么东西在他的胡子里轻轻动弹。他低头一瞧，不由得笑了：大胡子里有个小鸟窝哩，里头有五个小鸟蛋。这小灰鸟妈妈在他的大胡子里孵蛋呢！这下可让大胡子为难了。孵蛋得清清静静、安安稳稳的，一心一意，才能把小鸟孵出来。于是，大胡子只好纹丝不动静静躺在那里，呆呆仰望那白云在天空中悠悠飘动。

后来，鸟妈妈飞上了树枝。过了一阵，鸟爸爸回来了，嘴里叼着一条小虫子。鸟爸爸先站在树枝上，看大胡子靠得住靠不住。看了好一会儿，发现没事儿，就飞到鸟妈妈跟前，把虫子喂进它嘴里，又匆匆飞进了树林。鸟妈妈孵小鸟，鸟爸爸当然要忙碌些。它得不停地把各种好食物叼来给鸟妈妈吃。

从早晨起，大胡子就没有吃过东西了。本来他的大胡子上结着些野果，但早已吃完了，新的又没长出来。好在鸟爸爸看出大胡子肚子饿了，它及时地捉了些虫子来喂大胡子。大胡子赶紧闭上了嘴。

"谢谢你，我不会吃虫子，你还是好好照料鸟妈妈吧，让它在我胡子里安心孵蛋。这样，小鸟很快就能孵出来了。"

大胡子伸手拔了些草茎嚼着，不让自己的肚子太饿。他这么一动不动的，时间长了，腰疼得厉害。可他又不敢动弹，生怕一动弹就吓着鸟妈妈。幸好，他的胡子里不

多久传来了轻轻的笃笃声。

第一只小鸟啄破壳出来了!

"欢迎你,小东西!"大胡子低声说,"欢迎你到这个有趣的世界上来!"

大胡子忘了口渴,忘了饥饿,忘了腰痛。

第二只小鸟出世了,第三只、第四只、第五只,五只毛绒绒的小鸟!五个可爱的小生命!鸟妈妈看着自己孵出来的小家伙,心里说不出有多高兴。

同鸟妈妈一样高兴的,还有大胡子哩。

# 姜饼人

佚名 著

　　从前，一个农舍里面住着一对老夫妻。有一天，老奶奶用面捏了一个姜饼人，给他用葡萄干儿做眼睛，用樱桃干儿做扣子。然后，老奶奶就把小姜饼人放进了烤箱。他们都很饿，所以一烤好，老奶奶就迫不及待地打开烤箱的门。小姜饼人一下子就跑出来了，边跑还边喊："不要吃我！"老爷爷和老奶奶紧跟在后面追。小姜饼人一边跑，一边说："跑快点，跑快点，你们追不上我，因为我是小姜饼人！"

　　路上小姜饼人碰见了一只小猪。小姜饼人跑得更快了。他一边跑，一边说："跑快点，跑快点，你们追不上我，因为我是小姜饼人！"又跑不多远，小姜饼人看见了一头母牛。"小人，站住！站住！我想吃掉你。"母牛喊道。他一边跑，一边说："跑快点，跑快点，你们追不上我，因为我是小姜饼人！"牛和猪，还有老奶奶，都在一路紧追，但是小姜饼人跑得很快，他们都追不上。不久，小姜饼人又遇到一匹大马。"站住！站住！小人，我想吃掉你。"大马喊道。小姜饼人也没有停，他一边跑，一边说："跑快点，跑快点，你们追不上我，因为我是小姜饼人！"大马也加入了追赶小姜饼人的队伍，小姜饼人笑呀笑呀，一直笑到一条大河边。

　　"哎呀，怎么办，他们要逮着我啦，我怎么着才能过河呢？"这时，树丛里走出一只狡猾的狐狸。"我可以帮助你过河。"狐狸说，"跳到我的尾巴上面，就可以游到对岸。""你不会吃掉我吗？"小姜饼人问。"当然不会啦。"狐狸说。小姜饼人就跳到狐狸的尾巴上面。不久小姜饼人就有点湿湿的了。"快爬到我的背上。"狐狸说。小姜饼人就爬到狐狸的背上。"你太重了，我累了，快挪到我的鼻子上。"狐狸一边游泳，一边说。小姜饼人就挪到狐狸的鼻子上。不久他们就到了河对岸，狐狸马上把小姜饼人抛到空中，张开大嘴，吧唧一声衔在嘴里。小姜饼人就这样被吃掉了。

# 萤火虫找朋友

孙幼军 著

夏天的晚上，萤火虫提着蓝色的小灯笼，在草丛里飞来飞去。他在干吗呀？

他在找朋友。

是啊，大家都有朋友，有好多朋友。可是，萤火虫连一个朋友都没有。跟好多朋友在一起玩儿，多快活呀！萤火虫也想要朋友。他就提着小灯笼，到处找。

萤火虫飞呀飞，听见草丛里有响声。他用小灯笼一照，见到一只小蚂蚱。小蚂蚱急急忙忙，一直往前跳。萤火虫就叫："小蚂蚱，小蚂蚱！"

小蚂蚱问："干吗呀？"萤火虫说："你愿意做我的朋友吗？"小蚂蚱说："我愿意。"萤火虫高兴地说："那你就跟我一起玩儿吧！"小蚂蚱说："好的，一会儿

我就跟你玩儿。现在，我要去找小弟弟。小弟弟真淘气，不知跳到哪儿去了，天黑了还不回家。妈妈很着急，让我去找他。你来得正好，帮我照照路吧！"

萤火虫说："我不能给你照路，我要去找朋友！"萤火虫说完就提着灯笼，飞走了。

萤火虫飞呀飞，听见草里有响声。他用小灯笼一照，看见一只小蚂蚁。小蚂蚁背着一个大口袋，一直往前跑。萤火虫就叫："小蚂蚁，小蚂蚁！"

小蚂蚁问："干吗呀？"萤火虫说："你愿意做我的朋友吗？"小蚂蚁说："我愿意。"萤火虫高兴地说："那你就跟我一起玩儿吧！"小蚂蚁说："好的，一会儿我就跟你玩儿。现在，我要把东西送回家去。我迷路了，你来得正好，帮我照照路吧！"萤火虫说："我不能给你照路，我要去找朋友！"萤火虫又提着灯笼，飞走了。

夏天的晚上，萤火虫提着蓝色的小灯笼，在草丛里飞来飞去。

他在干吗呀？他在找朋友。

还没有找到吗？还没有找到。

# 蛀虫兄弟

[挪威]托比扬·埃格纳 著　石秦娥 译

从前有一个小男孩，他的名字叫耶恩斯。他的嘴巴里长着牙齿，当然我们大家的嘴巴里都长着牙齿。不过，耶恩斯的一颗牙齿有一个洞，洞里住着两个小坏家伙，一个叫卡里乌斯，另一个叫巴克托斯。说不定你已经看出来，这是两个稀奇古怪的名字，他们还是两个非常稀奇古怪的小不点儿呢。他们小得不得了，不用高倍放大镜休想看见他们。

一个小家伙长着一头黑发，另一个长着一头红发，他们两个都是靠着甜食和好吃的东西过日子，这种东西还多的是，他们犯不着操心吃不饱肚子。他们每天又哼小曲又唱歌，不吃不睡的时候，就在牙齿上挖呀掘呀，还敲敲打打凿牙洞，为的是把他们住的房子造得大一些，好一些，宽敞一些。

有一天，他们中间的一个认为房子盖得差不多了。"我说，卡里乌斯呀，"他这样说道，"我们整天掘呀挖呀，掘呀挖呀，我看，现在我们的房子已经是够大的了。"但是，卡里乌斯却不赞成。"我们还要把它挖掘得更大更大，"他说道，"你要明白，亲爱的兄弟，我们现在每天吃那么多甜食和糖块，我们是时时刻刻都在长大，日长夜大，大点再大点，愈来愈大。嗳，巴克托斯兄弟呀，你就照样使劲儿挖掘下去吧！"

"好吧，好吧，那么我们就干下去吧！"

但是不久之后，巴克托斯又停下手中的活开始动起脑筋来。他从窗口向外看，看到外面所有的雪白的牙齿，想出了一个相当好的主意。

"哎，你，卡里乌斯，听着。"他说道。

"现在又怎么啦？"卡里乌斯问道。

"我是在想呀——我们能不能在上面的犬牙那里再为我们盖一栋房子呢。我想那里比这里会舒服宽敞得多的。"

"哎呀，你怎么弄不明白呀。你这个小兄弟，你不想一想我们住在底下安全得多，如果那把讨厌的牙刷来了可危险了！"

可是巴克托斯却笑了起来："嘿，嘿，嘿——牙刷那玩意儿怎么回来呢！耶恩斯可是从来不刷牙吃的。"

"那可是保不准的事儿呀，"卡里乌斯说，"我记得很清楚，他曾经刷过一次牙。"

"刷过一次，是的。不过那是好几个星期以前的事啦。哦，不会，不会再有那样的事儿啦。我们在耶恩斯的嘴巴里保准是安全的！"

"好吧，如果你那么有把握的话，你爱在哪儿盖房就在哪儿盖吧，那不关我事，反正我呀——我是愿意住在这里喽。"卡里乌斯说道。

巴克托斯在窗户旁边站了很久，盯住了上面那颗雪白雪白的犬牙，向往着未来，心里得意扬扬。"我将会比你住得舒服得多的，卡里乌斯。只消想想看——当这里有非常多像我们这样的家伙的时候，所有的牙齿里都是房子——到那时候，嘿，卡里乌斯，我就会像一个国王那样坐在我的屋子里居高临下看着整个城市。"

"哎哟，你在做梦吧，巴克托斯兄弟。我觉得这里压根儿就不会有那么多像我们这样的家伙，再说还保不准我们没有足够的甜食吃呀。"

"吃呀，吃呀，吃呀，"巴克托斯说道，"我们每天都吃那么多甜食，几乎把我们的肚皮都快撑破啦。"

"总不会永远是那样的日子，"卡里乌斯说道，"我记得，这个男孩子有一段时间只吃胡萝卜和全麦面包。天哪，那时候我几乎都快饿死了。"

"你总会吃到好吃的，卡里乌斯。这个男孩子要是总吃胡萝卜和全麦面包……哦，看那，兄弟！现在吃的东西来了。"

"我想，大约只是全麦面包而已。"

"不是的，卡里乌斯，这是雪白的面包片——面包片上还涂满了果酱！"

"太好啦，太好啦！"

嗨，好哇好哇好极啦！

我们俩的日子实在过得好。

在耶恩斯的牙齿里

我们永远不会缺少甜食。

甜甜的小糖果

是我们能得到的最好的吃食。

还有像我们现在吃到的

涂满果酱的白面包片。

特啦啦啦啦特啦啦啦啦，

特啦啦啦啦啦啦啦啦啦。

235

# 月亮婆婆值夜班

佚名 著

　　太阳公公工作了一整天，疲劳地躲到山后面休息去了。月亮婆婆带着一群闪闪烁烁的小星星挂在了天空，天渐渐黑了下来，夜晚来临了。月亮婆婆在干什么呢？月亮婆婆在值夜班呢。

　　瞧！它们值班多么认真呀！月亮婆婆笑微微地看着，小星星眼睛一眨一眨亮闪闪的。

　　月亮婆婆和小星星们看呀看呀，小动物们都在干什么？小鸟飞累了，扇动着疲倦的翅膀飞回了树枝上的鸟窝，鸟窝真舒服呀，小鸟打着哈欠躺在软软的鸟窝里，"呼呼"地睡着了；小白兔们蹦蹦跳跳地回到家里，伸

伸懒腰躺在床上，听兔妈妈唱着摇篮曲，静静地睡着了；小花猪打着饱嗝，摇着尾巴，舒舒服服地洗了个热水澡，往床上一躺，"呼噜噜、呼噜噜"地睡着了；小花狗丢下肉骨头，用它的舌头舔了舔嘴巴，走到主人为它准备好的玉米皮编成的狗窝里，那里面还铺着柔软的稻草呢！小花狗趴在窝里，耷拉下耳朵，垂下眼皮一动不动地睡着了……

现在小朋友们在干什么呢？你看，这个小朋友在刷牙洗脸洗脚，然后，她脱下自己的衣服、鞋子，把它们整整齐齐地叠放好，再盖上小花被，轻轻闭上了眼睛。慢慢地，小朋友睡着了，"呼——呼——"她进入了甜美的梦乡……

这时，月亮婆婆开心地笑了，她轻轻地冲小星星们点了一下头，星星们便心领神会地演奏起柔美舒缓的音乐，月亮婆婆甜美轻柔地唱着摇篮曲：睡吧，睡吧，我亲爱的宝贝……